C'EST PAS MOI, JE LE JURE !

D1241973

Bruno Hébert

C'EST PAS MOI, JE LE JURE !

roman

Boréal

Les Éditions du Boréal sont inscrites au Programme de subvention globale du Conseil des Arts du Canada et reçoivent l'appui de la SODEC.

Conception graphique : Devant le jardin de Bertuch.

Diffusion au Canada : Dimedia
Diffusion et distribution en Europe : Les Éditions du Seuil

Données de catalogage avant publication (Canada)

    Hébert, Bruno, 1958-

    C'est pas moi, je le jure !

    ISBN 2-89052-832-4

    I. Titre.

PS8565.E194C4   1997   C843'.54   C97-940382-0
PS9565.E194C4   1997
PQ3919.2.H42C4   1997

À Lizbeth Vientos

Prologue

Au début j'allais très bien. Tout baignait dans l'huile, une période de constante évolution. Je me faisais les ongles dans une méditation que je qualifierais de transcendantale, la chaleur ambiante était parfaite, l'obscurité quasiment totale. C'était avant le verbe... On dit au commencement était le verbe, eh bien là, aucun verbe aux alentours et c'était pourtant le commencement de tout. Il y avait peut-être le verbe être, à la rigueur, mais c'est discutable. Le bonheur est une chose toute simple mais n'allez pas mettre un verbe en travers de sa route.

Le 18 juillet 1958, il y eut un glissement de terrain horrible, l'eau de la mer se vida d'un seul coup. Tête première, je me suis enfoncé dans des sables mouvants. La pression était si forte que mon crâne, encore tendre et moelleux, s'est contracté, puis une comète de trois milliards de watts m'est arrivée dans la gueule pour m'éclater les iris. Mes petites mains avec dedans mon destin écrit n'étaient même pas encore dépliées que j'étais déjà mutilé du nombril, lavé, emballé dans du coton plus blanc que blanc. J'étais né.

Le docteur Larrivée a dit à ma mère que tout s'était très bien passé, j'étais un enfant parfaitement constitué, tout était normal, *un enfant normal*.

Il y a des médecins qui devraient être radiés de la profession.

Chapitre 1

Deux cent vingt, montée Grandbois, août 1963. Un après-midi de canicule, seuls ceux qui ont vécu au Québec peuvent comprendre ce que cela veut dire. La chaleur et l'humidité sont si intenses que, si vous lancez un caillou en l'air, ce n'est pas sûr qu'il retombe par terre, il peut rester en suspension jusqu'à la rosée du soir. Ça s'est déjà vu. Ma mère préparait des pinces de crabe qu'elle servirait en entrée pour le dîner. Papa venait avec un invité important. On bouffe pas du crabe tous les jours dans notre maison. Faut que ce soit une grande occasion. Maman disait que l'invité était presque un saint, j'ai même entendu Mme Piché dire qu'on parlait de lui à Rome et qu'il avait une aura. Je n'avais jamais vu d'aura sauf celle de Simon Templar à la télé.

Il y avait de l'excitation dans l'air. Mon frère et moi, on se baignait dans la petite piscine d'enfant ; l'idée était de rester dans l'eau le plus longtemps possible jusqu'à se ratatiner les doigts de pied, parce qu'après on n'avait plus le droit de se salir, il fallait mettre nos habits du dimanche. L'horreur, du linge propre et repassé en pleine canicule, ça relève de la torture mentale et physique.

Dans le poste de radio de la cuisine, Charles Trenet chantait : « Y'a d'la joie, bonjour, bonjour les hirondelles… » C'est à ce moment-là que mon frère a tiré la jupe de ma mère :

— Maman ! Maman !

Comme elle avait cinq enfants, elle ne répondait pas tout de suite. Le beurre à l'ail allait bientôt recouvrir les pinces de crabe qui iraient ensuite au four.

— Maman… maman…

Il faut faire griller à 450 °F juste avant de servir, et alors on obtient une petite bouchée tendre et juteuse, un rien croustillante. Une entrée parfaite pour un saint.

— Maman, Léon dort dans la piscine.

Il y eut quelque chose qui suspendit le geste de maman juste comme elle allait tremper une pince de crabe dans le beurre fondu. Sa tête fit un petit mouvement sec vers la fenêtre d'où elle pouvait apercevoir la piscine. Elle était bien là, la piscine en plastique au milieu du terrain, avec ses dauphins gris perle au grand sourire, tout contents sur un fond turquoise. Maman se précipita vers la porte tandis que mon frère grimpait sur le comptoir pour observer la scène de la fenêtre. Ce fut une riche idée parce qu'il put me raconter les détails de mon sauvetage… « Y'a d'la joie, bonjour, bonjour les hirondelles… »

La bouche et les yeux ouverts, bras en croix au fond de la piscine, j'étais devenu le Petit Bleu. Maman resta figée quelques secondes, puis une sorte de détermination, en vérité une montée hystérique, la fit réagir ; elle me prit par une cheville, me sortit de l'eau la tête en bas et commença à me faire tourner comme une toupie. Je vomis un grand bol d'eau dans le gazon et je repris connaissance. Puis je fus transporté par un paquet de nerfs jusqu'à la maison. Ce n'était pas des bras, des mains, un cou : ma mère était devenue de l'énergie bouillante, un magma électrique ; je me déplaçais dans l'espace comme par magie. Arrivée au salon, elle me fit asseoir sur le canapé, fonça vers la cuisine, revint aussitôt avec un verre de lait. J'en bus deux ou trois petites gorgées.

— Écoute, Léon, tu vas rester assis bien sagement, maman revient tout de suite.

Je ne reconnaissais pas sa voix, mais il faut dire que j'avais de l'eau dans les oreilles. Je n'eus pas le temps de répondre oui que ma mère était déjà repartie à la cuisine. Elle marchait si fort que j'ai eu peur qu'elle fasse des trous dans la marqueterie. Je l'ai entendue farfouiller dans les ustensiles. Les tiroirs s'ouvraient et se refermaient, elle cherchait quelque chose avec frénésie. Je n'étais pas rassuré, je voulais aller faire la sieste. Après un moment, je vis réapparaître ma mère dans le salon avec, à la main, l'énorme couteau de cuisine tellement coupant qu'on n'avait même pas le droit de le regarder. Seul papa s'en servait pour le roast-beef du dimanche.

Les yeux hagards, maman marchait vers moi avec ses talons qui entraient dans le sol. Ma vie était finie, je savais qu'il était défendu de se noyer, mais c'était ma première noyade, les larmes me montaient aux yeux, je ne pouvais pas savoir, on était si bien au fond de l'eau, c'était calme et tranquille, j'avais un tel besoin de tranquillité. Maman vint vers moi sans même me regarder : une flèche lancée sur sa cible, trajectoire décidée à l'avance. Je n'étais pas visé : elle ouvrit la porte de la terrasse, sortit, traversa le jardin, passa sous les saules pleureurs et s'arrêta devant la petite piscine bleue et ses Flippers qui sautillaient de bonheur comme pour la parade. Ce fut un carnage : ma mère poignarda la piscine à plusieurs reprises, découpa les dauphins en morceaux, plia le tout en un paquet qu'elle traîna jusqu'à la rue, là où on dépose les poubelles. Ce fut la fin de la piscine. De retour à mes côtés, elle se mit à pleurer doucement.

Tout était redevenu normal. J'avais un peu mal à la tête mais je m'en foutais. Maintenant, couronné de l'auréole du grand noyé, rescapé à la dernière minute, j'aurais dû être mort. Il y avait du miracle dans l'air et ça tombait pile, puisque le presque saint Pierre, patron des disciples d'Emmaüs, venait dîner à la maison le soir même. Malgré mon jeune âge, je me sentais enveloppé de sainteté, calme et serein. Je mangeais ma crème glacée comme un apôtre, le corps du Christ. Maman m'examina sous toutes les coutures, elle me sécha les cheveux. Je crois que mon visage est resté imprimé sur la serviette tellement elle frottait fort. J'en suis sûr. Au bout d'un moment, me considérant hors de danger, ma mère retourna à ses casseroles.

Mon frère Jérôme me prit par la main et m'emmena silencieusement au bord du chemin. Recueillis, comme à la mort de grand-papa, nous contemplions le cadavre de la piscine — un moment douloureux, il faut le dire. Cette piscine nous avait procuré tant de plaisir, et la voir là, toute repliée sur elle-même, avec ce dauphin lacéré qui ne cessait de me regarder bizarrement, un œil sur l'asphalte de la rue, l'autre droit dans mes yeux comme pour m'accuser. C'était affreux. J'étais sur le point de quitter mon grand calme liturgique pour plonger dans le cafard des assassins. Mon frère aussi m'en voulait de m'être noyé, il m'en voulait pour tant de choses, la piscine ce n'était qu'une goutte d'eau dans la mer. Si j'étais mort ce jour-là, il aurait peut-être pu être heureux.

La grosse Chevrolet de papa apparut au bout de la rue. Sans dire un mot, nous sommes allés nous cacher derrière la haie de cèdres pour observer à loisir l'arrivée de l'apôtre saint Pierre, patron des Emmaüs.

— Il a de très grandes oreilles, déclara mon frère, tout de suite.

Ça m'énervait qu'il porte un jugement sur un saint homme, et pourtant l'évidence m'obligeait à être d'accord avec lui : l'abbé Pierre avait des portes d'église de chaque côté de la tête.

— Faut être prudents, ne pas faire de bruit, que je dis.

Cet homme-là entend même une mouche qui chie sur le pont d'un navire.

— La grosseur des oreilles n'a rien à voir avec l'entendement, imbécile ! Peut-être qu'il est sourd comme un pot.

Du coup, comme pour le contredire, l'abbé Pierre se retourna et se mit à regarder intensément la haie de cèdres.

— Vous avez de bien beaux conifères, monsieur Doré.

Il prononça cette phrase haut et clair comme au commencement d'une épître. Nos cèdres étaient la honte de la rue, tous les clébards venaient pisser dessus, la base était toute jaune et ça puait l'ammoniaque.

— Il nous regarde, que je dis à Jérôme.

C'était des yeux noirs, ronds comme des billes exorbitées, des yeux qui englobent tout, le ciel, la terre, les mers, les bêtes et tous les enfants cachés. Jérôme partit en courant derrière la maison, moi je restai là, je me disais que j'étais seulement un enfant, c'est normal de se cacher pour un enfant, même que j'étais caché parce que je jouais aux Indiens avec des copains — un hasard. Ils avaient déterré la hache de guerre il y avait pas cinq minutes, je n'avais plus le choix de me planquer, on rigole pas avec Géronimo. Mon père et l'invité finirent par entrer dans la maison, je suis resté caché dans l'herbe un moment, j'avais besoin de réfléchir. D'abord, je n'avais pas remarqué l'aura, peut-être qu'il fallait attendre la nuit pour la voir, peut-être que l'abbé Pierre l'aura pas tout le temps, Simon Templar l'aura juste au début de l'émission, ensuite, il l'aura plus du tout. Chose certaine, il me fallait un homme de Dieu de mon côté et j'élaborai un grand projet de séduction.

Il y eut d'abord l'apéro sur la terrasse, à l'ombre du tilleul. L'abbé Pierre buvait du jus d'orange, mon père en était à son troisième whisky, maman sirotait du café en racontant ma noyade dans les détails, mon sauvetage *in extremis*, et pour finir, le miracle de la vie : ni plus ni moins la résurrection. Mes sœurs Marguerite et Valérie apparurent dans le décor pour foutre en l'air l'ambiance, comme à leur habitude. Elles vivaient dans leur monde, univers clos, hermétique, gnomes d'une autre planète. Elles jacassaient dans un langage inventé qui leur permettait de se comprendre entre elles sans être comprises des autres. Moi, je restais assis sagement sur la chaise en osier, résolument touché par la grâce. Je buvais les paroles de ma mère sans même oser bouger le petit doigt. J'étais impressionné par le récit de ma propre noyade et mon état de grâce augmentait de minute en minute. Une ombre au tableau cependant : je me disais qu'il me faudrait bientôt intervenir quand les regards se tourneraient vers moi.

À mon grand regret, je n'avais pratiquement aucun souvenir de toute cette histoire. Je m'étais laissé glisser au fond, entraîné dans le silence, sous la pression de l'eau. Puis, une distraction, un oubli, comme on oublie sa boîte à lunch, j'ai oublié d'aller respirer, c'était tellement stupide, je n'osais pas en parler : ma distraction et mon étourderie étaient déjà légendes dans la famille. Inutile d'apporter de l'eau au moulin, déjà que je n'avais plus le droit de coucher en haut dans le lit à deux étages parce que, à ce qu'on racontait, la nuit, quand je me réveillais pour aller pisser, j'oubliais où j'étais et je me pétais la gueule en tombant. Des ouï-dire. Je n'ai aucun souvenir, on doit bien se souvenir de quelque chose quand on se pète la gueule, c'est mon point de vue. Pour ce qui était de remettre les pieds dans une piscine, il aurait fallu qu'il fasse au moins trois cents degrés à l'ombre, plus ordonnance du médecin, et encore ça n'était pas sûr. De toute manière, à partir de maintenant, j'aurais des foutus flotteurs partout et je mourrais étouffé dans du caoutchouc gonflé.

N'empêche qu'il fallait trouver quelque chose. C'est là que

je me suis souvenu d'une conversation que maman avait eue avec Mme Piché. C'était le jour où je faisais semblant de jouer dans le carré de sable avec son fils, Jean, et je ne perdais rien de la conversation. C'était à propos de la fois où maman avait détruit la voiture de papa en fonçant dans un arbre. Sa tête avait heurté le pare-brise, je me souviens d'une grosse bosse sur son front et de la crise de papa quand il est rentré le soir.

Maman racontait qu'au moment de l'impact, elle avait vu une grande lumière blanche, puis des événements de sa vie avaient défilé très vite devant ses yeux, comme au cinéma. Ça devait être un peu ça, la mort, qu'elle disait à Mme Piché qui avait les yeux écarquillés comme si elle avait vu un fantôme. Je trouvais qu'il y avait dans cette conversation un bon filon à exploiter. Une fois tous à table à bouffer des pinces de crabe, je me sentis prêt à raconter à l'abbé Pierre l'expérience de ma noyade.

— D'abord, j'ai vu une grande lumière blanche formidable, comme une porte ouverte en haut d'un escalier, puis le grand doigt de la chapelle Sixtine est venu me toucher le front même si j'étais encore dans l'eau, ça m'a dénoyé aussi sec, ensuite j'ai entendu de la musique.

— Quel genre de musique? me demanda l'abbé Pierre.

— Du banjo.

Ça n'a pas eu l'air de l'étonner.

— La musique venait d'un autre endroit, d'une pièce à côté peut-être, mais qui était en réalité une cathédrale mais je ne le savais pas, je pense seulement. Un petit chien est venu, un bébé chien terre-neuve, il m'a sauvé la vie en me donnant de l'air par un tube.

L'histoire du chien, c'était pour que papa change d'avis au sujet de la portée de Delphine, le chien des Lacombe. J'aurais vendu mon âme pour un bébé terre-neuve. Il faut toujours que j'en fasse trop. L'abbé Pierre m'écoutait religieusement avec ses grands yeux exorbités, papa avait sa mine de celui qu'il ne faut pas prendre pour un cave, j'évitais de le regarder, maman était ravie, mes sœurs parlaient en dialecte africain et s'en foutaient complètement, tandis que Jérôme me donnait des coups de pied sous la table parce que j'allais faire foirer le coup du terre-neuve des Lacombe.

Ce n'était pas le genre de réaction que j'avais espérée, en fait je ne savais pas quelle réaction je cherchais à provoquer exactement, peut-être capter l'attention de l'abbé Pierre, susciter chez lui un intérêt, une compassion, créer le doute, insinuer le mystère. Je voulais qu'il se souvienne de moi : avoir pour ami personnel un envoyé de Dieu, un faiseur de miracles, ça pouvait servir. Je sentais en moi une grande confiance, peut-être même la foi. L'abbé me délivrerait du mal maintenant et jusqu'à l'heure de ma mort, une fois pour toutes, amen. Car je sentais déjà des tendances inquiétantes s'insinuer dans mon cœur, une révolte tapie dans les hautes herbes, le remords et d'autres bêtes fauves qui ne demandaient qu'à bondir hors de leur cachette pour venir lacérer les restes de mon innocence. L'abbé Pierre pouvait, d'un geste, changer les lions en agneaux, j'en étais sûr. Pourtant, le saint homme ne vit pas ma détresse, il me donna seulement un paquet de dragées qu'il avait dans sa poche, des reliquats d'un baptême. L'abbé Pierre était toujours invité à des baptêmes : il touchait la tête des nouveau-nés pour qu'ils deviennent des illuminés et, plus tard, à l'âge adulte, les enfants qu'il avait baptisés fonderaient des sectes dont les membres se suicideraient collectivement.

J'étais déçu.

L'abbé Pierre passa la nuit couché sur le toit à regarder les étoiles.

Au cours de mon enfance, je me suis noyé trois autres fois :

au *Love Sun* à Port-au-Prince, en m'assommant sur le tremplin ; au lac Ouareau, le pied coincé sous un gros caillou et, enfin, en semi-finale inter-cité devant cinq cents personnes, compétition ·officielle, discipline papillon. J'avais perdu mon maillot au plongeon de départ. Je m'étais mis dans la tête de le récupérer et de le remettre, tout ça sous l'eau, au fond du douze-pieds, pour que personne ne me voie. Quand ils sont venus me chercher, mon maillot était à l'envers.

J'ai rencontré d'autres saints aussi, l'abbé Paulhus, le père Vanier, le frère Untel, mais ils ne m'ont jamais pardonné mes péchés ni délivré du mal, amen.

Le lendemain matin, papa descendait tranquillement la rue dans sa Chevrolet. Il emmenait avec lui l'énigme de la bonté : l'étrange abbé Pierre.

Chapitre 2

Deux cent vingt, montée Grandbois, le 1er août 1968. Un après-midi de canicule, assis au pied des boîtes aux lettres, je regardais de l'autre côté de la rue les Marinier préparer leur départ à la mer. Comme chaque année, ils allaient à Biddeford Pool, dans le Maine. Le toit de la *station wagon* s'écrasait sous le poids de l'équipement de camping. Un à un, les cinq enfants prirent place dans la voiture, où ils passeraient huit heures à se tirer les cheveux, à pleurer et à se plaindre de la chaleur, à vomir. Huit heures infernales. Ils arriveraient au camping en pleine nuit, sous une pluie torrentielle, et les parents s'engueuleraient quasiment jusqu'au divorce en montant la tente. L'eau de la mer serait tellement froide qu'il serait question de pneumonies pour les enfants et de crises cardiaques pour les vieux.

M. Marinier était fou comme un balai, il chantait à gorge déployée en mettant les valises dans le coffre. De vraies vacances comme on en prenait jadis, avant la bombe qui avait eu raison de notre famille.

J'éprouvais une sensation étrange, presque triste, merde quoi, j'allais pas me mettre à chialer en regardant cette bande d'imbéciles partir en camping. Soudain, il y eut dans l'air un parfum subtil mais tenace, vertigineux, prometteur. Non, je n'allais pas pleurer, je n'allais pas pleurer du tout. Au début, c'était une petite brise, un souffle odorant, une haleine de jonquille, mais très vite cela prit de l'ampleur, je finis par le reconnaître : c'était le vent du diable. Certains l'appellent aussi un vent de folie, mais ça n'a rien à voir.

La maison des Marinier serait donc vide pendant trois longues semaines... J'allais en profiter pour la piller, en quelque sorte, de façon systématique, à tous les niveaux, et mieux encore : je m'y installerais. Si je n'étais pas un saint, je serais un diable, un mauvais diable. Ça me rapprocherait de Dieu, ou du moins j'attirerais peut-être son attention.

L'intensité du drame qui allait se dérouler dans cette misérable année 68 devait dépasser de loin toutes mes prédictions. Je ne voyais rien du feu, mais je sentais déjà la fumée. Je savais d'instinct que, pour résister à l'incendie qui allait se déchaîner, il me faudrait deux vies, deux personnalités indépendantes l'une de l'autre. La première prendrait tout dans la gueule, hurlerait dans la nuit en cherchant à tâtons les morceaux de son cœur, tandis que l'autre ferait de moi le roi des criminels, l'intouchable prédateur. Je pensais que ce stratagème me protégerait efficacement contre l'effondrement des valeurs et aussi contre la mort, parce qu'elle était là, je la sentais rôder le long des treillis, tapie dans les taches de noirceur sous mon lit, au bas de l'escalier de la cave, dans les garde-robes. Tôt ou tard, elle s'abattrait sur l'un de nous, sans violence ni considération, avec une précision chirurgicale. Ce serait l'été de mes dix ans.

Je rentrai à la maison réfléchir, le dîner fut morose, l'air était chargé d'une pellicule invisible créée par la canicule mais qui n'était en réalité que le signe extérieur de l'angoisse. Même mes sœurs, qui normalement se maintenaient dans un état hystérique permanent, tiraient des gueules d'enfants battues. Mon père parlait de la conjoncture tout en sifflant la bouteille de pinard, Jérôme avait les yeux dans la graisse de bines parce qu'il avait fumé un pétard méthode française, gros comme un barreau de chaise. Bref, une ambiance sympathique qui donnait envie d'aller jouer au Lego sur l'autoroute.

Nous sommes tous allés nous coucher de bonne heure. Dans mon lit, le drap tiré jusqu'au menton, j'allais bientôt dormir ma dernière nuit d'enfant honnête. Demain serait le début de la guerre mondiale, le premier jour du grand massacre. Ma décision était prise, dès l'aube j'allais pénétrer par effraction dans la maison des Marinier, dès l'aube je me réveillerais avec un autre petit garçon que je ne connaissais pas encore mais qui, j'en étais sûr, saurait agir avec la détermination d'un fauve affamé devant un troupeau de gazelles. Oui, demain, après la nuit, après ces millions de minutes qui font l'heure, quand sur la vallée il n'y aurait que l'impression du jour, lumière diffuse encore étouffée de nuit, juste avant que l'immense boule de feu ne vienne proclamer son éternel retour, moi, tout petit que j'étais, encore enchevêtré dans l'enfance, moi j'irais à la rencontre du prédateur.

C'est mon frère qui est venu me réveiller au milieu de la nuit.

— Debout, debout! Y a maman et papa qui se tapent dessus.

On est sortis dans le couloir, mes sœurs y étaient déjà. Valérie restait figée comme si elle avait eu la tête dans un aquarium plein de Barbies nageant en maillot de bain. Marguerite voulait que je retourne dans mon lit, elle avait son ton de la société protectrice des animaux. La porte qui donnait sur le salon était fermée et ce qui se passait de l'autre côté ne devait pas être de tout repos : des objets qui se cassaient, des cris étouffés, des volées de claques. Nous, on ne voyait rien, mais Jérôme, l'œil collé au trou de la serrure, nous faisait une description sommaire de la situation.

— Maman vient de lancer le buste de Beethoven, papa

s'est protégé avec le guéridon marocain, il marche vers elle, il n'a pas l'air content, il vient d'accrocher la statue africaine, il la dirige vers maman.

Jérôme ne disait plus rien.

— Ben alors, qu'est-ce qu'ils font ? demanda Marguerite.

— Rien, on dirait une accalmie.

Ma sœur rentrait ses ongles dans mes bras, mais je ne sentais rien. Valérie se tenait debout au milieu du couloir, la tête dans son aquarium invisible, elle ressemblait à une touriste admirant la tour Eiffel.

— Papa s'avance, maman vient de décrocher le Marc-Aurèle Fortin.

Encore une fois, Jérôme ne disait plus rien. Marguerite commençait à perdre patience, d'ailleurs je ne sentais plus mon bras, les veines de ma main étaient toutes sorties comme pour les piqûres.

— Jérôme ! Tu dors ?

— Y a rien, que je te dis, ils se regardent sans bouger, maman tient la peinture à deux mains, papa il n'ose plus bouger.

À ce moment-là, on entendit la voix de papa comme si elle sortait d'une caverne préhistorique :

— Il n'y aura pas de procès, tu entends ? Pas de procès.

Maman répliqua aussitôt :

— Oh oui ! il y en aura un, et tout le monde pourra savoir qui tu es en réalité. Ce ne sont pas les témoins qui manquent pour mettre ton vrai visage au grand jour.

— Mais de quoi ils parlent ? demanda Marguerite à Jérôme.

Une grande claque retentit sur une joue, le hurlement de ma mère déchira la nuit. Jérôme a ouvert la porte et on s'est tous précipités dans le salon. Ils étaient là, de chaque côté de la table, maman avait la joue toute rouge et elle avait poignardé Marc-Aurèle en pleine nature morte avec le gros tournevis jaune du tiroir de la cuisine. Quel monde étrange que celui dans lequel nous vivions : ils croyaient se faire du mal, ils croyaient qu'il s'agissait d'eux et de leur souffrance, c'était pathétique. Ils étaient là, à des centaines de kilomètres l'un de l'autre, empêtrés dans la boue de leur ridicule mariage. Ils ne voyaient pas un instant, pas même une fraction de seconde, qu'ils s'apprêtaient à détruire nos vies, à déchirer notre enfance comme on déchire la liste des courses. Nous nous sommes tous mis à pleurer par ordre de grandeur, même Jérôme. Je n'avais jamais vu mon frère pleurer, la situation devait être plus grave que je ne l'avais supposé. C'est simple, mon frère ne pleurait jamais. Nous sommes allés nous recoucher le cœur léger comme un train de marchandises.

Plus que jamais, il me fallait ma double personnalité, j'attendais l'aube avec l'impatience du soldat avant le débarquement. Je dus quand même dormir un peu parce qu'au réveil c'était déjà le matin. L'aube, c'est comme l'aura, on en parle beaucoup mais on ne la voit jamais. Je me faufilai dehors avec trois dattes et une pomme verte. Je prenais toujours des dattes quand je partais en expédition, ça me venait de mon père. Pour nous vanter les vertus de ce fruit si riche en protéines, il inventait des histoires de désert où il y avait toujours des Bédouins fuyant d'horribles pillards sanguinaires, mais ils survivaient grâce à une vieille datte coupée en morceaux et arrosée de l'eau dégueulasse du radiateur de la Jeep en panne.

Le camion du laitier ronronnait devant la maison des Papageorges. Même s'il était encore un peu tôt, j'avais comme une envie de me taper une demi-douzaine de fudgesicles pour me faire un fond, ce qui me permettrait de conserver mes trois dattes et ma pomme au cas où je devrais m'enfoncer dans le désert. J'observais le camion avec mon œil de lynx. J'attendis que M. Vadeboncœur, le laitier, soit dans la maison des

Papageorges puis, sans perdre de temps, je grimpai dans le camion, j'ouvris la porte du congélateur et piquai une boîte de douze fudgesicles. Je n'avais aucun besoin de les voler, il suffisait que je les demande au laitier pour qu'il m'en donne une boîte sans problème, il aurait porté le montant sur notre compte et je n'en aurais jamais entendu parler. Chez nous, personne ne vérifiait jamais rien, j'aurais pu demander cinq gallons de crème glacée au chocolat, c'était pareil. Mais ce jour-là, je n'étais plus moi-même, l'autre avait pris la relève. Je glissai donc la boîte sous mon tee-shirt. C'était froid, très froid, mais je m'en foutais. Il fallait souffrir dans le crime. Je m'éloignais tranquillement avec un ventre carré ; la vengeance est un plat qui se mange froid.

Le terrain de la maison des Marinier donnait sur un champ de blé d'Inde à l'arrière, sur le petit terrain de jeux municipal à droite et, à gauche, il bordait le terrain des Martineau. La maison était entourée de conifères et de saules pleureurs, ce qui procurait, aux abords mêmes de la demeure, une certaine intimité. Avant tout, tactique d'Indien sournoise mais efficace, je traversai le terrain de jeux, donnai un petit coup aux balançoires, mine de rien, pour justifier ma présence dans les environs tout en regardant si Mme Martineau n'était pas à sa fenêtre en train de m'espionner. Depuis que j'avais lancé des œufs sur la porte de leur garage, elle avait continuellement un œil sur moi. Pourtant, j'avais nié expressément et juré sur la Bible que ce n'était pas moi, le coup des œufs. Ça ne lui suffisait pas, à cette grande girafe. Quand elle me croisait dans la rue, elle disait :

— Je sais que c'est toi qui as lancé les œufs parce que je t'ai vu. C'est mal de lancer des œufs, mais c'est encore bien plus mal de mentir. Et n'oublie jamais : « Qui lance un œuf, lance un bœuf. »

Mais de quoi j'me mêle? Ça ne pouvait pas être moi qui avais lancé les œufs puisque ce jour-là j'avais la grippe de Hong-Kong, alibi en acier inoxydable. «Allez-donc m'expliquer, avait dit ma mère, comment un enfant couché au lit avec cent trois degrés de fièvre aurait pu lancer des œufs sur votre porte de garage? Vous voyez bien que ça ne tient pas debout votre histoire. Occupez-vous donc de vos enfants et laissez mon fils tranquille.» Ma mère s'était brouillée à vie avec Mme Martineau, ainsi qu'avec la plupart des autres mères de la rue pour le même genre de raisons. J'étais le type d'enfant parfaitement indéfendable.

Ce matin-là, Mme Martineau n'était pas à sa fenêtre. Elle s'occupait probablement de ses enfants qui, d'ailleurs, ne faisaient tellement jamais rien de mal que c'en était déprimant. Tous des saints, les mioches Martineau.

Tout à coup, j'ai sauté de la balançoire comme une flèche apache, j'ai traversé le fossé et je me suis retrouvé dans le champ de blé d'Inde. Ô soulagement! Sensation de bien-être profond! Paix sur la terre aux enfants sans volonté! Au milieu des grands épis jaunes et verts, j'étais chez moi, personne ne pouvait me voir, tandis que moi je pouvais observer à loisir chacune des maisons situées au nord de la rue. Le vent du diable vint me caresser la joue. Il faisait trembler légèrement les épis autour de moi. Au début, ce n'était qu'une rumeur lointaine, et puis il me dit (c'était la voix du tentateur, une voix douce et pénétrante, comme celle de Gérard Philipe qui nous lit *Le Petit Prince*): «Va mon petit, va piller la demeure, fouille les armoires, vide les coffres, touche à tout ce qui brille comme un voyeur regarde les secrets interdits. Tu trouveras facilement où se dissimulent les hontes, les vices et la perversion. Quand tu auras vu, de tes yeux vu, alors tu n'auras plus peur et tu laisseras ta marque pour qu'on sache que tu es passé par là. Ils n'oseront rien dire, peu importe l'étendue de ton désordre, il n'y aura pas de représailles. »

Le vent tomba, la voix se tut.

J'entrepris de désarticuler l'un des soupiraux de la cave. J'avais en ma possession le gros tournevis jaune avec lequel maman avait tué l'assiette de légumes de Marc-Aurèle. Après un petit travail de dentisterie, un trifouillage dans les règles, le panneau tomba à l'intérieur de la maison et je pus me glisser dans la cave. J'avais l'impression de plonger dans l'océan. Les fudgesicles commençaient à fondre, un liquide brun coulait le long de mes jambes, c'était le sang glacé du vandale qui sortait de mes veines pour se répandre sur les lieux du crime. Je laissais ma marque : il fallait bouffer la douzaine dans les dix minutes ou alors trouver un congélateur au plus vite. Une partie de la cave avait été aménagée pour les enfants, leurs jouets étaient tous bien rangés sur des étagères, il y en avait une quantité hallucinante, Lego, Spirographe, Busy Buz Buz, Light Bright, modèles à coller, casse-tête, pâte à modeler (au moins quinze couleurs différentes), GI Joes armés jusqu'aux dents pour la guerre du Viêt-nam, poupées Barbies version camping, avec motorisé grand luxe, ballons, Freeze Bee, cerfs-volants. Je commençais à penser que mes parents se foutaient de ma gueule.

Le parquet était recouvert d'un tapis dont l'imprimé bizarre représentait des tulipes d'une autre planète avec des pétales en losange. Mon sang glacé de mécréant commençait à geler ma jambe droite et coulait de mon pantalon sur les tulipes roses et blanches, ce qui me rappela que j'avais une furieuse envie de pisser. D'ailleurs, elle avait commencé au moment où j'avais mis le pied dans la cave, une sorte de réaction nerveuse, il ne me restait plus qu'à baisser ma fermeture éclair en quatrième vitesse.

Je ne savais pas où pisser, pas question de monter à l'étage à la recherche des toilettes, je ne pouvais même plus me rendre à l'escalier, je me pressais le gland à deux mains, la pression augmentait à vue d'œil, ça devenait souffrant, je ne voulais pas pisser n'importe où, il me restait peut-être trois ou quatre secondes. C'est donc complètement désespéré que j'ouvris un placard de cèdre. Le jet sortit instantanément, quasiment à l'horizontale et, ô malheur ! j'arrosai sans aucune retenue le manteau de vison de Mme Marinier. Je n'avais pas choisi le placard, appelons ça de la fatalité. Le soulagement était si intense qu'une fois parti j'ai arrosé la cape en zibeline et le col de renard. Quand le vin est tiré aussi bien boire la bouteille, et puis je n'étais pas entré dans cette maison pour faire dans le détail.

Après, je me suis senti tout ragaillardi et c'est à ce moment-là que j'ai vu une chose extraordinaire. Un peu dans l'ombre, au fond de la cave, il y avait un magnifique train électrique monté sur une immense plate-forme, avec une gare, une église, un bureau de poste, une banque, des maisons, des arbres miniatures : un biodôme ferroviaire, le rêve. Un train électrique d'adulte parce que le transformateur et la locomotive étaient dans une boîte en plastique transparent, verrouillée avec un gros cadenas. Le tout avait l'air très solide. J'étais déçu.

Après un tour rapide de la cave, je décidai de monter l'escalier. En ouvrant la porte, je me retrouvai dans la cuisine, endroit dangereux à cause des grandes fenêtres qui donnaient sur la rue : on pouvait me voir, pas de risque à prendre. J'ai rampé jusqu'au frigo et ouvert la porte. Autre déception : moutarde, reste de mayo, Petite Vache, plutôt régime carême. Par contre, le congélateur était nettement mieux garni. À peine assez d'espace pour ma boîte de fudgesicles dégoulinante que je réussis à coincer entre des cuisses de poulet et un gallon de crème glacée napolitaine. Bonne chose de faite. Je pouvais poursuivre la reconnaissance des lieux.

Le salon me parut magnifique, surtout avec son tapis crème et mandarine. (J'ai toujours eu une grande mémoire des tapis.) Les meubles étaient suédois de style africain. C'était sans doute une pièce réservée aux grandes personnes, vu la couleur des tapis et tous les objets fragiles, verres de Venise, céramiques égyptiennes et surtout, surtout, un superbe clavecin orné de petits chérubins tout nus accrochés sur chacune des pattes. Une vraie merveille. N'empêche qu'il était vraiment dommage que le tapis fût si pâle parce qu'en traversant le salon il m'a bien fallu constater que je laissais derrière moi d'horribles traces brunes provenant de mon soulier droit imbibé de fudgesicle. Je laissais encore ma marque, les traces étaient bien dessinées, et comme mon soulier gauche était intact, cela donnait l'impression qu'un unijambiste avait traversé le salon. La police chercherait un vandale mutilé. L'enquête piétinerait, tout allait donc pour le mieux. Cette maison me donnerait des heures et des heures inoubliables, j'en étais convaincu.

Une petite serrure recouverte d'un capuchon en ivoire verrouillait le clavecin. Autre déception. La colère commençait à me gagner. Comment pouvait-on fermer à clé un instrument de musique ? Je trouvais cela mesquin, égoïste et stupide d'empêcher des enfants de devenir des génies. La musique n'est pas seulement un truc qui adoucit les mœurs, c'est aussi l'expression d'une prière au bon Dieu, le dialogue de l'homme avec lui-même. J'entendais Mme Marinier dire à sa petite Lucie : « Le clavecin, ce n'est pas un jeu, c'est le clavecin de maman, personne n'a le droit d'y toucher. » Je l'aimais bien, la petite Lucie. Comme moi, elle adorait la musique. Souvent elle venait jouer du piano à la maison. Nous n'avions pas grand-chose à nous dire mais le piano nous permettait d'échanger des encyclopédies en quinze volumes, des sentiments aussi variés qu'il y a d'insectes sur la terre. « Le clavecin, ce n'est pas un jeu. » Comment pouvait-on vivre avec une mère qui disait des choses pareilles ? On dit bien jouer du clavecin, on ne dit pas parcourir un clavecin, étudier un clavecin, manger un clavecin ou repasser un clavecin. La musique est faite pour être jouée. Tout le monde savait que Mme Marinier clavecinait comme un tapir africain, aucun talent. Alors, elle le verrouillait pour être bien sûre qu'aucun de ses enfants ne pourrait en jouer mieux qu'elle. Je sortis le gros tournevis jaune de ma poche. Dix secondes plus tard et un morceau de merisier en moins, je jouais du clavecin à toute volée. Les notes remplissaient la maison silencieuse, le vent du diable se remit à souffler comme une tempête tropicale. J'adorais la musique, c'était ma prière, mon amour, ma dévotion au monde, elle me donnait la certitude que je n'étais pas entièrement mauvais.

Sans même me prévenir intérieurement, je cessai de jouer, j'attendis un instant que le silence revienne, puis je fonçai vers la cuisine. Je me mis à tout vider, les tiroirs, les armoires, le grand placard à balais. Tout. Bientôt la céramique italienne disparut. Le sol était recouvert de vaisselle cassée, de casseroles, de porcelaine chinoise, de verres en cristal mélangés avec les pots de confitures, les sacs de farine, les pâtes alimentaires. J'étais pris d'une sorte de frénésie, plus rien n'avait d'importance. Qu'on me voie par les fenêtres, qu'on entende le fracas de la vaisselle qui explosait en mille morceaux m'était parfaitement égal. Tantôt, il y avait eu la musique divine comme les vapeurs du ciel, on s'endormait avec les anges couchés sur les nuages. Maintenant, c'était le tintamarre de l'enfer, l'intolérable symphonie de la colère, on s'endormait avec les hurlements des enfants qu'on découpe en morceaux pour en faire des paquets cadeaux. On les remisait jusqu'au jour où on aurait

31

le temps de s'en occuper, et puis ils étaient si jeunes, ils avaient toute la vie devant eux pour recoller les morceaux.

Brusquement, je me suis arrêté, je venais de trouver exactement ce que je cherchais : un énorme marteau Estwing seize onces au manche recouvert de cuir, la Cadillac des marteaux. Je descendis à la cave et, d'un seul coup, je fis voler en éclats la boîte de plastique qui contenait le transformateur du paradis ferroviaire. Il n'y eut pas trop de dégâts, mais le marteau me glissa des mains, partit comme la foudre qui s'abat sur un village et arracha le clocher de l'église. J'eus un petit frisson, rien de bien grave, mais tout de même, j'étais en guerre avec Dieu, d'accord, n'empêche que je n'aimais pas fracasser les églises, même en carton, ça porte malheur. Je ne voulais pas devenir un antéchrist ou un excommunié, comme Attila, le roi des Huns. D'abord, moi, j'étais deux. Là, par exemple, avec mon petit frisson, j'étais moi, il fallait suivre. Ça me demandait de la concentration pour bien répartir les responsabilités, et surtout pour ne pas se perdre de vue l'un l'autre parce que j'envisageais une réconciliation avec Dieu dans un proche avenir. Si, par exemple, mes parents ne divorçaient plus, hop ! réconciliation. Si papa renvoyait cette chipie de gouvernante, hop ! réconciliation. Si on redevenait heureux comme… j'allais dire avant, mais il n'y avait pas d'avant, il n'y avait jamais eu d'avant. Enfant écartelé depuis la naissance avec peut-être un petit six mois de bonheur éparpillé ici et là, pas de quoi faire un souvenir complet.

J'ai dû mettre au moins une heure à faire fonctionner le train électrique : branche un truc, débranche par là, rebranche par ici… Finalement, miracle de la persévérance, le train quitta la gare. J'hallucinais. La petite barrière du passage à niveau qui s'ouvre et se ferme toute seule, le sifflet hou ! hou !, les vaches qui regardent le train passer, quelle merveille que le monde de la trainomachie. Au bout de deux heures, je dus me résoudre à stopper les machines. Il fallait que je me pointe à la maison pour midi, ce n'était pas le moment d'éveiller les soupçons en arrivant en retard. Je repassai par le soupirail et le refermai bien soigneusement derrière moi. Je n'avais pas fait deux pas que je tombai face à face avec Mme Martineau. Ses yeux globuleux de membre du jury me regardaient comme une sentence de mort.

— Qu'est-ce que tu fais là, toi ?

Très vite je compris qu'elle ne m'avait pas vu sortir de la cave.

— Je cherche mon chat. Tout à l'heure, je l'ai attrapé puis il est reparti encore et il m'a griffé dans les cheveux, ça se voit pas mais ça fait très mal. Vous ne l'auriez pas vu, par hasard, madame Martineau ?

— Les chats n'aiment pas qu'on les embête tout le temps, laisse-le donc un peu tranquille. Il reviendra bien tout seul.

Elle ne me lâchait pas des yeux, la chipie.

— Qu'est-ce que tu as dans ta poche ?

— C'est mon tournevis jaune. La chaîne de ma bicyclette s'est encore brisée, on ne trouve plus rien de qualité aujourd'hui, une chaîne presque neuve, vous vous rendez compte, madame Martineau, on ne peut plus se fier.

— Tu n'as rien d'autre dans tes poches ? Des œufs par exemple ? Tu n'as pas des œufs dans ta poche ? Montre un peu, voir.

Un vrai flic. Une vraie névrosée. C'était plus fort qu'elle, fallait absolument qu'elle revienne sur l'histoire des œufs.

— Si j'avais des œufs dans ma poche, ils seraient tous cassés, madame Martineau. Des œufs, c'est très fragile, ça se met pas dans une petite poche de culotte courte, ou alors il faut faire très attention et moi je ne fais jamais attention. Alors des œufs, je n'en ai jamais sur moi, c'est un principe.

33

Elle finit par me laisser partir.

Les adultes sont tous pareils, ils se croient obligés de faire de l'élevage en passant, avec moi tout particulièrement, à croire que j'ai une pancarte clouée dans le front avec écrit dessus : « J'ai besoin d'une leçon, si vous avez deux minutes à perdre, surtout ne vous gênez pas, montrez-moi les bonnes manières, traitez-moi de menteur, de voleur, de pervers, je suis sûr qu'un jour ça va me rentrer dans la cervelle. »

Chapitre 3

Ma mère était au téléphone. Tout de suite, je sentis que ça n'allait pas. Pour le moment, elle ne disait rien, elle écoutait, mais des larmes coulaient tranquillement sur ses joues, régulières et constantes comme l'eau d'érable à la fin de l'hiver. Ma mère ne me regardait pas, j'étais assis par terre au milieu de la cuisine avec deux ou trois Lego pour me donner une contenance, mais elle ne me voyait pas. Quand ses yeux se posaient sur moi, j'étais comme un carreau de linoléum. Le regard de maman, muni d'un rayon spécial, passait à travers mon corps et s'arrêtait sur le parquet. Peut-être qu'il passait à travers, jusque dans la cave, ou même plus loin encore, jusqu'au centre de la terre où ça bouillonne de feu et de lave. Ce n'était plus ma mère, elle n'était plus qu'un petit animal de la forêt qui regardait, sans comprendre, ses pattes de derrière écrasées par un piège à grizzly. Tout à coup elle se mit à parler d'une voix étrange qui sonnait comme les notes d'un piano qui aurait passé l'hiver au fond d'un lac.

— Ne t'inquiète pas, je ferai ce que tu proposes, je pars pour la Grèce demain dans l'avion de six heures quarante-cinq. De toute façon, je ne pourrais pas rester dans ce maudit village à côté de mes enfants en sachant que je ne peux plus les voir. Si je ne suis pas folle, à coup sûr je vais le devenir. Il a gagné, tu comprends ! Il a tout gagné, les enfants, la maison, la voiture, tout. Je n'ai pas la force de me battre contre lui. À vingt-neuf ans, je peux encore refaire ma vie.

Ça, je comprenais. « Vouloir refaire sa vie. » Moi, j'étais encore un enfant et je voulais refaire la mienne, je savais aussi que c'était plus facile à dire qu'à faire, surtout dans la carrière de criminel.

On mangea un restant de pâté chinois avec une tranche de pain de blé entier qui me tomba dans l'estomac comme le rocher de Gibraltar. Après le dîner, il fallut faire la stupide sieste. Être encore obligé de faire la sieste ! Je n'en parlais jamais à personne tellement j'avais honte. Maman avait le regard terrorisé de ceux qui sont sur le point d'avoir une migraine, on appelle ça « être dans l'œil du cyclone ». Elle avait vidé le flacon de Cafergot, le livreur de la pharmacie devait déjà être en route. Sans me hâter, je finis mon yogourt en surveillant la rue par la fenêtre. Quand je vis la Volkswagen verte de la pharmacie, je sortis de table et déclarai que j'allais faire caca. Je me dirigeai vers les toilettes d'un pas lent et fatigué qui voulait dire : « Pas de problème à lui faire faire la sieste à celui-là, il dort debout. » Tactique d'Indien, simulation professionnelle.

Quand le livreur sonna à la porte d'entrée, moi je sortis par la porte de derrière. Je courus jusqu'à la haie de cèdres où je me planquai un moment, histoire d'évaluer la situation. Ce ne fut pas long. J'entendis maman crier mon nom deux fois, d'abord un « Léon » innocent du genre « Viens finir ton dessert », ensuite un « Léon » complètement différent qui voulait dire qu'elle savait que j'étais caché et que je ne viendrais pas. La porte claqua, c'était le signal de ma liberté. Avec le Cafergot, j'en avais pour l'après-midi à être tranquille. Vent dans les voiles, baume au cœur.

M. Hilcu, le marchand de légumes ambulant, était assis sur le marchepied de son camion. Il comptait son argent, il aimait bien compter son argent, et moi j'aimais bien le voir faire. Pour M. Hilcu, l'argent avait une signification particulière. Toute sa vie, il avait souffert dans cette horrible Pologne où la misère succédait à la misère. Ses aventures de jeunesse berçaient mon enfance et éclipsaient tous les autres héros : Oliver Twist faisait figure de bourgeois goinfré de pâtisseries, le petit Poucet n'était qu'un veinard avec ses bottes de sept lieues, tandis que M. Hilcu, lui, avait dû risquer sa vie à cinq ans pour voler un navet pourri au grand marché de Varsovie. Sa mère avait été vendue comme esclave, son frère Vladimir avait perdu ses deux oreilles pendant le terrible hiver de 1932. Cette année-là, alors que le froid emportait la moitié du pays, la sœur de M. Hilcu en avait été réduite à vendre son corps aux soldats. D'après M. Hilcu, elle avait vendu son corps pendant trois ans. C'était la chose la plus horrible que j'avais jamais entendue. Je ne cessais de me demander avec angoisse ce qui devait bien rester de son corps, après trois ans. Un morceau de main par-ci, un pied par-là, un bout de cuisse, un genou, une oreille. Aujourd'hui, elle était sans doute femme-tronc dans un cirque.

Quand M. Hilcu me vit arriver, il avait son sourire radieux ; il m'aimait bien. Moi, je l'adorais, autant que sa famille aux mille et une misères.

— Bonjour, monsieur Hilcu.

Je l'appelais toujours M. Hilcu. Lui m'appelait Léon mais à la polonaise ça sonnait comme à l'italienne avec le « on » en longueur.

— Bonjour, Léonzo. Alors, tu viens faire la tournée avec moi ? Tu porteras les casseaux de fraises, travail délicat qui demande de la concentration, de la délicatesse et surtout du savoir-vivre.

— Pas aujourd'hui, monsieur Hilcu, je suis en mission

spéciale et très très secrète. Alors, au nom de notre amitié, n'essayez pas de me tirer les vers du nez parce que, comme vous êtes une grande personne, je pourrais m'échapper par mégarde. Et avec un secret comme celui-là dans votre conscience, la vie deviendrait insupportable, et finalement vous seriez obligé de me trahir ; ça pourrait gâcher nos relations.

— Mon Dieu ! Mon Dieu ! Parlons d'autre chose, tu me fais peur. Oh ! pendant qu'on est là tous les deux, tu sais ce que j'ai vu dans le champ de Saint-Marc ?

M. Hilcu commençait souvent ses phrases en disant « pendant qu'on est là tous les deux ». Il y avait aussi d'autres règles, une sorte de gymnopédie de la conversation.

— Non, monsieur Hilcu, je ne sais pas.

— Une chose extraordinaire, mon garçon. Une chose qu'on ne voit plus de nos jours et, quand on revoit cette chose, c'est comme respirer de l'espoir à pleins poumons.

— Et c'est quoi, monsieur Hilcu ?

— Eh bien, j'ai vu un magnifique renard roux de l'Arctique avec un raton laveur dans la gueule. Il courait tout droit vers ici. Tu ne l'aurais pas vu par hasard ?

— Je n'ai vu aucun renard roux de l'Arctique, ou même ordinaire, qui viendrait du Grand Nord.

— Eh bien, c'est dommage, parce que ça porte chance. Les Indiens disent que le renard roux apporte la fortune quand on le voit en plein jour et la mort certaine quand on le voit la nuit. La preuve : regarde tout l'argent que j'ai fait aujourd'hui, j'ai déjà vendu toutes mes tangerines du Maroc et, coup de pot, madame Landry m'a acheté une douzaine de melons parce que c'est l'anniversaire du petit Francis. C'est quand même quelque chose !

— Dites-donc, monsieur Hilcu, pendant qu'on est là, tous les deux, la Grèce, ça se trouve où exactement ?

— La Grèce, mon vieux, ça se trouve en Europe, exactement.

— Et l'Europe, par exemple, ça se trouve dans quelle région?

— Eh ben, ça se trouve de l'autre côté de la mer, par exemple.

— Oui, bon, d'accord. De l'autre côté de la mer, mais quand même, elle est où la mer?

— Elle est où? Ben... elle est à l'est, par là.

Il leva son bras vers le champ de M. Patenaude.

— Vous voulez dire de l'autre côté du champ de blé d'Inde?

— Beaucoup plus loin. D'abord, il y a la rivière que tu connais, elle se jette dans le fleuve et ensuite, au bout du fleuve, il y a la mer, même qu'on l'appelle l'océan Atlantique. Des rivières, des fleuves et puis quoi encore?

— C'est assez vague, la mer, monsieur Hilcu. À pied, il faut combien de temps pour s'y rendre, par exemple?

— C'est difficile à dire. En marchant tous les jours, du matin jusqu'au soir, sans faire de pause-café, je dirais deux mois.

— Deux mois! Mais vous êtes complètement malade, monsieur Hilcu! C'est pratiquement impossible! Et en plus, vous dites que la Grèce, c'est de l'autre côté de cette mer-là?

— Oui, mon garçon.

— C'est très déprimant ce que vous me dites, monsieur Hilcu.

— Ben, je suis désolé. Tu sais, pour aller en Grèce, il vaut mieux prendre l'avion.

— Ça, je savais. Et même pour votre information y en a un qui part demain matin à six heures quarante-cinq.

Je quittai M. Hilcu avec une envie de vomir, l'impression que la terre basculait et que désormais je marchais la tête en

39

bas. Maman allait prendre cet avion-là, le lendemain matin, et atterrirait à un endroit qui la mettrait hors de portée de façon permanente. Ce départ comportait trois conséquences insupportables : la première était que mon père allait sombrer dans une rivière de whisky, la deuxième était que cette horrible gouvernante allait s'installer à demeure et détiendrait l'autorité suprême, la troisième, et sans doute la pire, maman ne serait plus là pour mettre un frein à ma démence.

Je passai tout l'après-midi chez les Marinier. Le train électrique n'avançait plus. Il s'était arrêté devant le bureau de poste et refusait d'aller plus loin. Le transformateur faisait un drôle de bruit. Je me désintéressai donc de la question et montai à l'étage. Il fallait passer maintenant aux choses sérieuses et découvrir les vices cachés de cette famille. Il fallait procéder systématiquement comme quand on cherche où nos parents ont planqué les cadeaux de Noël. Temps, patience et fouille minutieuse.

Comme je m'en doutais, je découvris le bât qui blesse dans la chambre à coucher des parents. C'est toujours là qu'on finit par trouver les turpitudes convaincantes. Ce ne fut pas une mince affaire. J'ai fouillé la garde-robe sans rien trouver, il y avait d'un côté les robes de madame et de l'autre les vestons de monsieur, une partie maman, une partie papa, là-dessus rien à dire, tout était normal. Pourtant, à l'intérieur de la garde-robe, j'éprouvai une sensation étrange, c'était peut-être l'odeur mélangée des parfums qui venaient des robes et celle du tabac à pipe de M. Marinier. Mais ce n'était pas tout, il y avait autre chose, pourtant je ne pouvais pas mettre le doigt dessus. Mon moral périclitait. Assis par terre au fond de l'armoire, je tirai une à une les cravates de M. Marinier, qui étaient disposées sur une grande tige de métal d'environ deux mètres. La plupart étaient horribles et prétentieuses, mais il faut dire que j'étais difficile, parce que mon père avait les plus belles cravates du monde. Un frisson me parcourut l'échine. Il semblait que les cravates avaient été disposées par ordre de couleurs et de tons, comme dans une boîte de Prismacolor. Il devait bien y en avoir deux, trois cents. À mesure qu'elles tombaient sur mes genoux, je les regardais et je ressentais encore un malaise. Je pris deux cravates et les examinai soigneusement. Non seulement les couleurs étaient presque identiques mais les motifs aussi semblaient suivre un ordre précis. Par exemple, sur la première cravate, des fleurs de lys d'un bleu pâle et sur l'autre encore des lys d'un bleu plus foncé, et les fleurs un tantinet plus grosses.

En fait, je venais de pénétrer dans un univers dissolu. Parce qu'il fallait être complètement malade pour ranger ses cravates comme ça. Je ne fus donc pas surpris que ma main rencontre, derrière le rideau de cravates, une poignée de porte. J'avais enfin trouvé. C'était une cachette assez bien gardée d'un point de vue psychologique, grâce à la disposition des cravates. Si l'une d'elle n'était pas remise à sa place précise, un œil entraîné le remarquerait immédiatement.

La porte de la cachette ressemblait aux portes que l'on trouve dans les sous-marins ou les bateaux, petite et ovale. Bien entendu, elle était fermée à clé et munie d'un énorme cadenas à combinaison. Je compris immédiatement qu'il me serait impossible de l'ouvrir, c'était un travail d'homme, moi je n'étais qu'un enfant. Il fallait pourtant que je trouve une solution, mon salut était derrière cette porte. À moins de remettre tout en place et d'effacer les traces de mon passage… Mais c'était impossible : le clavecin, le clocher de l'église, ma crise d'hystérie dans la cuisine, les multiples taches sur le tapis du salon. Il fallait impérieusement ouvrir cette porte parce qu'il y a des choses qu'on ne pardonne pas, même à un enfant de dix ans. Et là, derrière cette porte fermée à double tour, il y avait certainement une chose encore plus impardonnable. Cela ne faisait aucun doute. L'absolution se trouvait là, derrière. Si je n'arrivais pas à ouvrir la porte, alors je n'avais plus d'excuses, plus de recours, sauf la mort.

Je suis rentré à la maison le moral au rez-de-chaussée. Marchant au milieu de la rue, j'espérais me faire écraser par un chauffard alcoolique qui venait de se disputer avec sa femme. Pas de chance, aucune voiture ne montait la rue, sauf le vendeur de glaces dont le véhicule se déplaçait si lentement qu'il aurait fallu que je prenne un élan pour espérer être écrasé convenablement.

Chapitre 4

Il faut comprendre que le désespoir d'un enfant est beaucoup plus terrible qu'on ne peut se l'imaginer, principalement pour deux raisons : d'abord, parce que le désespoir est nouveau pour lui, et ensuite à cause de l'intensité de ce désespoir qui dépasse de loin ce que pourrait supporter un individu normal. Par exemple, un coureur de marathon professionnel qui suivrait un enfant de cinq ans pendant huit heures, qui courrait quand l'enfant court, qui marcherait à quatre pattes, bref, qui l'imiterait en tout : au bout de huit heures, il faudrait hospitaliser le marathonien pour cause d'épuisement physique. Dans le même ordre d'idées, un grand dépressif dans la quarantaine, avec de l'expérience, deux divorces, trois faillites personnelles, un pro de la déprime qui serait obligé de ressentir le désespoir d'un enfant qui vient de casser la précieuse statuette en cristal sur la cheminée de ses parents, la puissance du désespoir serait telle que ce dépressif aguerri s'ouvrirait les veines dans le premier lavabo venu.

Tout en marchant, j'avais la tête remplie d'idées meurtrières, de stratagèmes explosifs et de matériel lourd : marteaux-pilons, scies mécaniques, chalumeaux, gaz propane, essence à briquet, poutres d'acier montées sur un palan, acide nitrique. Je ne cessais de penser à la porte de métal. Elle devenait une obsession, je n'aurais pas de repos tant qu'elle resterait fermée. Je croyais pouvoir venir à bout du cadenas à combinaison, à coups de masse et de chalumeau, car la serrure était la même que celle du bureau de mon père, absolument impossible à ouvrir sans la clé. Et la clé, je l'avais cherchée partout, sous les meubles, dans les boîtes à bijoux, jusque dans l'ourlet des rideaux.

Cette chambre à coucher était devenue un endroit hallucinant, comme au cinéma, quand les commandos de la marine américaine se mettent à chercher un microfilm contenant des informations sur un complot d'assassinat du président des États-Unis. Rien n'avait été laissé au hasard. Moi non plus, je ne m'étais pas laissé au hasard, je me sentais comme la chambre à coucher : sens dessus dessous, démantibulé dans ma tête.

En rentrant chez moi, j'ai trouvé ma mère dans sa chambre. Elle remplissait méthodiquement une valise si énorme qu'on aurait dit qu'elle partait pour cent ans.

— Tu vas à la Grèce, maman ? que je demandai.

— On ne dit pas à la Grèce, on dit en Grèce.

— Je sais c'est où, il faut traverser la mer. Pour un enfant c'est impossible, il faut deux mois et l'école est commencée qu'on n'est même pas encore arrivé.

— Ne t'en fais donc pas. Je ne serai pas partie bien longtemps, c'est pour mon travail, mon poussin. Maman ne s'en va pas en Grèce, maman s'en va en voyage d'affaires.

— T'as une très grosse valise. Si tu mettais pas tant de robes dedans, il y aurait largement la place pour un petit garçon. Et si on met une boîte de céréales pour le voyage, et des dattes aussi, mais les dattes c'est pour le désert ; quand on voyage en valise, moi je trouve que les céréales c'est mieux, même sans lait, c'est très bon quand même. Et pour les affaires, quand on se présente avec un petit garçon, ça fait beaucoup plus sérieux.

44

On entendit la voiture de papa rouler sur le gravier de l'entrée. Si ç'avait été une meute de loups-garous infectés par la rage, la réaction de maman n'aurait pas été différente. Son visage se ferma comme une huître et ses gestes devinrent secs comme des baguettes chinoises.

— Va dans ta chambre immédiatement. Maman va venir te dire au revoir tout à l'heure.

Je suis allé dans ma chambre mais pas immédiatement. J'ai préféré aller me cacher derrière la haie, juste sous la fenêtre de la chambre de mes parents. J'ai vu papa passer devant ma cachette, laisser échapper ses clés de voiture sur le pas de la porte d'entrée. Il s'est mis à vouloir les ramasser mais il n'y arrivait pas, sa main passait systématiquement à côté des clés, ça me mettait sur le gros nerf. Pas compliqué de ramasser des clés. Ben lui, il n'y arrivait pas. Au bout d'une minute, je n'en pouvais plus, je suis sorti de ma cachette, ma main s'est posée sur la sienne. Comme dans un rêve, je l'ai poussée doucement jusqu'aux clés. Les doigts de mon père se sont refermés sur la petite croix de l'ordre de Malte, attachée au trousseau ; sa tête s'est relevée tranquillement et il m'a dévisagé comme s'il avait été au fond de l'eau. On aurait dit qu'il me voyait pour la première fois de sa vie. La plupart des veines de ses yeux étaient éclatées. Il avait un regard de vieux lapin albinos tout juste sorti d'un terrier où auraient dormi des léopards. Il m'a communiqué instantanément sa frayeur. Je me suis mis à parler parce qu'il fallait que je parle, que je dise des mots, des mots d'un autre temps pour aller le rejoindre là-bas, au fond de son désert d'Albinonie.

— N'oublie pas que tu es chevalier, papa. Souviens-toi de Jérusalem, de Gérard Tenque, tu es un Chevalier de Malte et nous, nous sommes des pèlerins, tu dois nous protéger contre les Turcs qui veulent nous massacrer.

Il me regardait toujours, trois mille kilomètres au fin fond du désert de Galilée. Il était loin, très loin, mais je savais qu'il revenait vers moi, à bride abattue, franchissant les dunes dans un nuage de poussière. Il parla d'une voix molle et lente, horriblement lente.

— Le matin, nous avions nagé dans la baie de Gnejna et le soir nous dînions à Marsalforn. C'est ce jour-là que tu es né, mon petit. Toi aussi tu es un Chevalier de Malte.

Mon père était revenu. Ce n'était pas brillant, mais enfin il était là. D'un geste maladroit, il arracha la croix de Malte de son trousseau et me la mit dans les mains. Je n'étais pas ému outre mesure puisque c'était la huitième fois qu'il me sacrait Chevalier de Malte. La cérémonie terminée, investi des pouvoirs qui m'avaient été conférés par l'hospitalier de Saint-Jean de Jérusalem après qu'il eut invoqué Gérard lui-même et en personne, je décidai de me lever. Papa essuya un filet de bave qui coulait le long de ses lèvres et me suivit dans la maison.

Commença alors la dispute entre maman et lui. Au début, on assista à un duel sournois et passablement civilisé. Papa n'était pas un violent, même ma mère l'avait déjà dit à Mme Laplante : « Il n'est pas violent, il est puissant. » Ce qui n'empêcha pas mes parents de se massacrer mutuellement pendant quelques heures. Comme d'habitude, maman n'avait pas la langue dans sa poche, ce qui était, à mon avis, une erreur tactique. Papa était et serait toujours un maître de la parole, doublé d'un pamphlétaire plus virulent que Voltaire, moins le style, bien entendu. C'était un orateur capable de soulever des foules. Hélas ! le pouvoir lui allait aussi mal qu'à un policier qui aurait gardé son pyjama, un roi Dagobert avec sa culotte à l'envers.

Dans la chambre de mes parents, le ton avait monté. Une claque était partie, paf ! dans la gueule de maman. Après cela, ils avaient repris le coup du mobilier qui s'était mis à valser dans tous les sens. Les cris et les hurlements succédèrent à des silences encore plus terrifiants. Sans perdre un instant, je mis le feu dans la chambre des invités. Une allumette dans la corbeille à papier : trente secondes plus tard, les flammes léchaient les rideaux et les statues africaines. Ma sœur se mit à hurler « Au feu ! ». La diversion fut très efficace. Pendant au moins une heure, on lutta tous ensemble pour éteindre le brasier, sauf moi, bien entendu, qu'on avait enfermé dans ma chambre, inculpé de pyromanie. Je m'en foutais, j'étais heureux. Mais ce ne fut pas suffisant pour retenir maman.

Ce matin-là, assis sur les marches de la remise, je regardais le taxi de M. Pilette sortir de l'entrée. Maman était assise derrière avec ses énormes lunettes noires, elle ressemblait à Jackie Kennedy qui allait rejoindre Onassis sur son grand bateau blanc ancré dans le détroit des Dardanelles. Quand le taxi disparut derrière les saules pleureurs, je fermai les yeux pour suivre la voiture dans ma tête : elle monta doucement la rue jusqu'au chemin qui longe la rivière, puis elle tourna à droite dans le brouillard opaque d'un monde anonyme. Dans l'avenir, je m'efforcerais de nommer tout haut les lieux mystérieux : Ankara, Istanbul, Corfou, Athènes, Mykonos. Des vocables aux tonalités insolites, pourvus de pouvoirs occultes qui tenaient à distance les ombres inquiètes que l'on retrouve la nuit dans les chambres des petits enfants dont la mère est partie et qui n'ont pas la conscience tranquille.

Chapitre 5

M. Latendresse était l'homme à tout faire de la coopérative d'habitation dans laquelle nous vivions. Il demeurait dans une vieille maison de pierre au bout du champ de M. Patenaude. En apparence, il donnait l'impression d'être une personne simple, une sorte de paysan du Moyen Âge qui, de la terre, tirait son orgueil et sa fierté. Son humilité totale, son silence implacable et la régularité extraordinaire de son caractère faisaient de lui un homme précieux pour accomplir les basses besognes de cette agglomération bourgeoise et dégénérée. En réalité, M. Latendresse était un homme beaucoup plus intelligent et sensible qu'il ne le laissait paraître. Pendant toutes les années où il plia l'échine pour accomplir les projets mégalomanes de ses employeurs, terrasses de marbre, puits artésiens, piscines, potagers, annexes, serres, roseraies, treillis, jardins chinois et autres conneries, M. Latendresse ne cessa de caresser un rêve mystérieux dont personne ne sut jamais rien. Mais il s'agit là d'un grand secret et d'une autre histoire.

Ce matin-là, il travaillait à l'entretien de sa fierté, de son orgueil et de sa toute-puissance sur le reste de ses contemporains avec son tracteur, un International 1952, rouge pompier, une machine formidable avec laquelle je l'avais vu accomplir des travaux herculéens.

M. Latendresse faisait la vidange d'huile, couché sur l'herbe mouillée du matin. Il regardait avec attention l'épais liquide s'écouler dans un contenant de plastique, format restaurant, où il y avait déjà eu de la confiture de framboises que je détestais.

— Bonjour, monsieur Latendresse, je peux vous aider à réparer votre tracteur?

Il me regarda avec étonnement. Je savais qu'il ne voudrait pas, personne n'avait le droit de toucher à son tracteur mais, de temps en temps, il me laissait pousser sa tondeuse à gazon. Grand privilège.

— Tu es bien de bonne heure, ce matin, mon garçon.

— J'ai entendu dire que l'avenir appartient aux gens qui se lèvent très tôt ou alors très tard et que, entre les deux, il n'y a que naufrage.

— Et qui a bien pu te dire une chose pareille?

— Le laitier, monsieur Vadeboncœur, ce sont ses propres paroles.

— Eh ben! À l'heure où il passe son lait, cet imbécile, on peut déjà conclure qu'il va finir au fond de la rivière.

Il me regardait à travers les essieux de son tracteur.

— Tu ne devrais pas répéter tout ce qu'on te dit, déclara-t-il encore. Un jour, tu t'en mordras les doigts.

— Ça m'étonnerait. Il m'arrive de me mordre la langue par erreur, mais je ne me suis jamais encore mordu les doigts, et si jamais ça m'arrive, ça m'étonnerait que je morde bien fort. Dites donc, monsieur Latendresse, j'ai un problème dont j'aimerais vous parler.

— C'est quoi ton problème?

— Eh bien! Imaginons que vous êtes devant une porte verrouillée avec un gros cadenas et une serrure anti-bombes et même anti-chars-d'assaut-allemands et que, de l'autre côté, il y ait un petit garçon qui meurt de faim, de misère et qui est triste comme la grosse pierre qu'il y a au milieu du champ de monsieur Patenaude. Qu'est-ce que vous feriez?

— Ben, si la porte est impossible à ouvrir, j'attaquerais le mur. Il est en quoi, le mur?

— Le mur?

Je ne savais pas en quoi il était, le mur.

— Le mur, ben, il est en mur, comme tous les murs.

— Tu sais, Léon, il y a des murs en briques, des murs en béton, des murs en bois, en plâtre, il y a toutes sortes de murs, même des murs en acier. Si c'est le cas, le petit garçon n'a aucune chance de s'en sortir.

— C'est un mur de garde-robe, c'est sûrement pas en acier, un mur de garde-robe.

— Non, un mur de garde-robe, c'est très rarement en acier.

— Même que celui-là, de mur, il est en bois qui sent très fort.

— Du cèdre, c'est un mur en cèdre. Alors, pas de problème, une pince-monseigneur et le tour est joué. Tu arraches les planches une à une, elle sont généralement embouvetées et retenues par de petits clous de finition. Ensuite, il y aura du plâtre; un petit coup de marteau et ça tombe en poussière. Un jeu d'enfant.

— Un jeu d'enfant de quel âge à peu près?

— Dis-donc, toi, qu'est-ce que tu mijotes, exactement?

— Rien du tout, je cherche à sauver la vie de quelqu'un.

— De qui?

— D'un enfant en péril de mort certaine.

— Et derrière quelle porte il se trouve, cet enfant?

— Écoutez, monsieur Latendresse, c'est une porte hypothétique, ce sont des histoires d'école, vous pouvez pas comprendre. Mais dites-donc, monsieur Latendresse, c'est fait comment exactement, une pince-monseigneur?

— Tu commences à m'énerver avec tes questions, j'ai du travail.

— S'il vous plaît, monsieur Latendresse, montrez-moi comment c'est fait. Dessinez-moi une pince-monseigneur, monsieur Latendresse.

Il avait l'air d'en avoir assez que je l'embête. Avec un grand soupir, il sortit de sa boîte à outils un objet contondant, comme dit mon père. Quand ma mère lui lance un objet, en effet, il est presque toujours contondant. M. Latendresse me montra une sorte d'objet qui ressemblait à une canne pour vieux nain bossu. Je finirais bien par trouver un objet similaire dans la cave des Marinier.

L'entreprise de démolition fut laborieuse et quand, au milieu de mon travail, je me retournai pour constater les dégâts que je laissais derrière moi, je me dis que, pour justifier un pareil bordel, il faudrait que je découvre, de l'autre côté, plusieurs cadavres d'enfants kidnappés et une chambre de torture équipée moderne. Trois heures de travail, huit planches de cèdre arrachées, au moins trois cents livres de plâtre soustraites aux entrailles de la garde-robe, tout cela à la main : une besogne de mineur, du pur *Germinal*.

Après avoir contourné un énorme tuyau qui bloquait le passage, je perçai finalement le mur. Je ne pénétrai pas immédiatement à l'intérieur parce que le trou était rempli d'une noirceur opaque. J'aurais dû prévoir que les Marinier ne laisseraient pas la lumière. Peut-être même qu'ils y élevaient des serpents qui sonnaient avant d'attaquer ? Et puis, il régnait là-dedans un silence de mort ou, plutôt, le silence de la mort. Un silence de mort, je connaissais cela très bien pour avoir souvent passé mes après-midi au cimetière. Ça ne me dérangeait pas du tout, même que ça me reposait. Mais le silence de la mort, c'était autre chose, ça supposait qu'elle était tapie dans un coin, toute prête à bondir sur la vie qui bat et à en faire son quatre-heures.

Il était trois heures et demie.

Pas question d'entrer dans ce trou sans être armé jusqu'aux dents. Je fis le tour de la baraque pour m'équiper à toute épreuve, couteaux de boucher ultra coupants, rasoir vieux modèle, lampe de poche pouvant servir de matraque à la rigueur, et la fameuse pince-monseigneur, mon instrument de prédilection, dont le maniement complexe n'avait plus de secret pour moi. Au bout de cinq minutes, j'étais enfin prêt à pénétrer dans le pot aux roses et à découvrir l'immense honte de la famille Marinier. Au moment de passer la tête dans le trou, j'eus encore une fois une énorme envie de pisser. La nervosité, l'excitation. Je courus jusqu'aux toilettes qui se trouvaient justement derrière la chambre. Là, je pissai un bon coup tout en sifflotant, mon moral était au sommet de l'Everest, je me sentais comme Christophe Colomb quand il pissait dans les toilettes de la *Santa Maria,* trois minutes avant de débarquer en république Dominicaine.

Tout à coup et bien malgré moi, je remarquai quelque chose d'étrange derrière les toilettes : la céramique avait été brisée à la verticale et, aussi horrible que cela puisse paraître, il y avait un trou. Ma tête se mit à tourner, il y eut une pluie d'étoiles filantes autour de moi, ma salive avait un goût étrange. Le sol se déroba sous mes pieds. Je m'effondrai comme une pierre. La chute éternelle venait de commencer.

Quand je repris connaissance, la joue encore sur la céramique froide, deux choses apparurent clairement à mon esprit : ma mère n'était plus là et il n'y avait jamais eu de porte au fond de la garde-robe.

Chapitre 6

Je sortis de la maison des Marinier par le soupirail de la cave. La nuit était tombée, la lune brillait dans le ciel comme l'œil de Dieu sur le plafond de l'église. La rue était déserte mais je passai tout de même par les champs. Plus malfaiteur que jamais, je ne voulais risquer aucune rencontre. La blancheur de mon visage sous le regard bleu de l'astre accusateur aurait rendu soupçonneux un aveugle de naissance. Soumis au plus banal interrogatoire, je n'aurais pu que crier : « Ce n'est pas moi ! Ce n'est pas moi ! », déclaration on ne peut plus incriminante pour un criminel.

Les épis de blé d'Inde craquaient si fort sur mon passage que j'avais l'impression d'être suivi par les quarante voleurs. Incapable de rassembler mes idées, je marchais droit devant moi comme un automate cherchant une raison d'être avec l'énergie du désespoir. N'importe quelle raison d'être. Il fallait juste qu'elle puisse me donner ne fût-ce qu'une brindille de contenance pour affronter l'humanité qui m'attendait de pied ferme à la chaumière. Sans m'en rendre compte, j'avais dépassé depuis un moment la zone résidentielle et me trouvais déjà tout près du grand bois qui était à ma droite. C'était une masse noire et hostile. Pas besoin d'être un génie pour savoir qu'il y avait là des milliers de bêtes féroces qui se gavaient de couleuvres et de crapauds malades, faute de mieux.

J'arrivais à point : un enfant blessé, même moralement, est une proie facile.

Au moment où je décidai de rebrousser chemin, je débouchai sur un espace ouvert où le blé d'Inde avait été écrasé, je dirais même aplati, dessinant une circonférence parfaite d'une dizaine de mètres. De deux choses l'une : ou bien une soucoupe volante avait atterri ici pour faire une épluchette, ou alors M. Patenaude, le cultivateur, avait eu une crise d'hystérie avec la moissonneuse. Mais ce n'était pas le plus grave. Au milieu du cercle, il y avait un renard roux, assis bien tranquille comme s'il m'attendait depuis le sixième jour de la création. Ses yeux brillaient dans la nuit, deux billes orange avec, dans leur centre, un éclat d'émeraude. Sa queue magnifique était venue couvrir ses pattes de devant, comme font les chats. J'aurais dû mourir de peur, mais je ne ressentais qu'une profonde inertie. « Veux-tu être mon ami ? » Cette phrase stupide me vint à l'esprit. Mon père, véritable fanatique de Saint-Exupéry, m'avait lu au moins trois cents fois *Le Petit Prince*. Fallait-il se méfier du renard ? Curieusement, je ne m'en souvenais plus. Étais-je en présence du bon ou du méchant ?

Celui-là n'avait pas l'air méchant, mais il ne me semblait pas bon non plus, il était sans doute neutre, et il n'y a pas pire que la neutralité. Condamné par un neutre, je n'avais aucune chance. Un nuage couvrit la lune, la nuit enveloppa la terre et moi je fus enveloppé par la terreur. Il est probable qu'un faucon traversa le ciel mais je ne vis rien et n'entendis rien non plus. La porte au fond de la garde-robe n'avait jamais existé, je l'admettais, mais le renard que je ne voyais plus était bien là, à trois mètres devant. Je l'entendais gratter le sol, il farfouillait dans je ne sais quoi.

Certains événements d'apparence banale peuvent prendre dans la tête d'un enfant coupable d'holocauste résidentiel des proportions extraordinaires. Là où il n'y avait qu'un champ de blé d'Inde et un renard tranquille apparaissait subitement un commando de mercenaires armés jusqu'aux dents s'apprêtant à célébrer la nuit des longs couteaux avec Lucifer réincarné en mammifère cannibale. Lorsque la lune réapparut dans le ciel, le renard avait disparu, le blé d'Inde était redevenu du blé d'Inde. J'allai voir à l'endroit où se trouvait le renard et je découvris une chose épouvantable que je glissai dans ma poche. Je rentrai ensuite à la maison en pleurant.

Quand je suis arrivé, tout le monde était à table. Mon sentiment de culpabilité était si immense que mon identité en était réduite à une minceur capillaire. Je voulais disparaître dans le potage, me dissoudre, m'évaporer pour toujours dans les limbes, un endroit extraordinaire, paraît-il, pour les grands criminels, puisque c'est une région mal définie, incertaine, où des enfants mort-nés flottent un peu partout en attente de rien du tout, et qu'on laisse tranquilles pour l'éternité. Mon père me lança un regard de juge de la Cour suprême et dit d'une voix de cathédrale :

— Où étais-tu passé ? On t'a cherché partout !

Le mensonge surgit *in extremis* dans mon esprit affolé et s'écrasa sur la table comme une pomme pourrie :

— J'ai trouvé un chien qui avait la patte prise dans un piège à renard, j'ai voulu le dépiéger mais il a eu peur et s'est sauvé trop vite et sa patte est restée dans le piège.

Je sortis de sous ma chemise une patte de chien que je déposai sur la table. Ma sœur Marguerite se mit à crier, Valérie vomit dans son assiette et la bonne sortit de table comme si la patte allait lui sauter à la figure.

C'était la patte de Wilfy, le chien des Papageorges, ça ne pouvait pas être une autre patte, c'était une patte de basset et il n'y avait qu'un seul basset dans toute la rue, Wilfy, dit la Galette parce qu'il se roulait dans la boue qui, en séchant, formait de grosses galettes sur son pelage. Le renard avait dû prendre Wilfy pour un raton laveur ou un siffleux. Mon père m'envoya dans ma chambre avec une claque derrière la tête. Moi, ça faisait mon affaire parce qu'il me semblait que j'allais tout avouer d'une seconde à l'autre. Ainsi puni pour un délit mineur, je purgeais en partie une peine interposée que je m'étais auto-infligée. Dans la pénombre de ma chambre, je m'abîmais les yeux à examiner les fleurs des rideaux. Il suffisait de fixer intensément les grosses campanules mauves pour que leurs formes se mettent à bouger dans tous les sens. Quand on frappa à la porte, j'en étais venu au point où je faisais grimper des lézards le long des murs.

— Qui est là ?

— C'est moi.

C'était ma sœur Marguerite. Je la trouvais bien présomptueuse avec son « c'est moi ». Après tout, j'étais en punition, j'avais donc le droit et même le devoir de patauger calmement dans mon malheur sans qu'on me dérange.

— C'est moi qui ?

— Marguerite, imbécile, ouvre la porte.

— Je peux pas, je suis dans le catalogue Eaton, section dessous féminins, j'ai besoin de solitude.

— Ouvre. Faut que je te parle.

Depuis que maman était partie, Marguerite s'était mis dans la tête de jouer les substituts. Elle ne manquait jamais une occasion de venir me tartiner avec son amour maternel qu'elle étendait généreusement comme un onguent magique qui devait, selon elle, venir à bout de tous les petits bobos de la terre. Il fallait bien la laisser faire, c'était sa manière de vivre sa peine, une sorte de projection. Elle était plus vieille que moi d'une année et considérait cet écart comme un fossé infranchissable qui lui conférait une maturité devant laquelle je devais m'incliner. En d'autres termes, il fallait jouer le jeu et faire semblant d'écouter ses conseils avec des « oui, tu as raison » et des « maintenant que tu me le dis, je comprends ». Ça la rendait heureuse. Au fond d'elle-même, elle sentait vivre une âme salvatrice remplie à ras bord de bons conseils et de paroles charitables. Une sorte de sœur Brontë qui se découvre un frère du jour au lendemain et qui, au lieu d'écrire *Les Hauts de Hurlevent*, décide de s'occuper de lui envers et contre tous avec un furieux acharnement.

Je finis par ouvrir la porte.

— Qu'est ce que tu veux ? Je suis en punition. Les punitionnés, on les laisse tranquilles, même qu'on a pas le droit de venir les voir du tout, ni de leur parler. On a juste le droit de leur apporter de l'eau et du pain sec.

— Arrête ton cinéma, Léon. Tout le monde se demande ce qui t'arrive. T'es pas normal. Tu fais des choses bizarres. Avant, tu riais tout le temps, maintenant, ça va plus du tout, tu ris jamais, et moi je suis fatiguée que tu ailles mal, tu comprends, je veux que tu ailles bien, c'est pas compliqué, JE VEUX QUE TU AILLES BIEN !

Elle claqua la porte et disparut dans sa chambre pour aller pleurer devant son poster de Che Guevara. Si c'était un truc pour me remonter le moral, ça n'avait pas marché du tout, et puis c'était pas ma faute, je ne savais plus ce que cela voulait dire aller bien ou mal, je me contentais d'aller où mène le vent.

Le lendemain matin, M. Papageorges est venu en personne identifier la patte de son chien. Il l'a regardée longuement. C'est difficile d'identifier une patte de chien isolée. Papa l'avait mise dans le congélateur pendant la nuit, maintenant elle était toute fraîche et décongelait lentement. M. Papageorges dut se rendre à l'évidence puisque Wilfy avait disparu depuis déjà vingt-quatre heures. Le doute n'était plus permis. Il voulut me poser des questions sur les événements de la nuit précédente et, aussi, que je le conduise à l'endroit où j'avais trouvé le piège. Mais il n'y avait jamais eu de piège. Je fis le grand traumatisé, frappé par le trou noir, hébété par l'horreur, et courus me réfugier dans ma chambre. On me laissa tranquille et, comme papa se sentait coupable de m'avoir puni la veille, j'eus droit à un cerf-volant tout neuf que nous sommes allés acheter ensemble au Woolworth. La vie avait du bon.

Je me retrouvai seul au milieu du champ de trèfle à faire voler mon cerf-volant que j'avais installé au bout de ma canne à pêche. Le dos appuyé sur une grosse pierre, je regardais au fond du ciel le petit point rouge de mon cerf-volant et je ressentais une certaine fierté de le voir si haut et pourtant relié à moi, moi tout petit, irrémédiablement soudé à la terre. Je considérais mon cerf-volant comme l'apôtre de mon âme, il se rapprochait de Dieu et plaidait dans le vent une cause perdue.

— Va, mon brave cerf-volant, attire l'attention sur toi, qu'on te voie danser dans l'air et qu'on entende claquer tes ailes contre le vent.

Je m'exaltais de propos liturgiques, invoquais l'archange saint Michel et voyais dans le ciel des batailles grandioses où dragons hippogriffes et démons de l'enfer s'affrontaient dans un fracas terrible et, pourtant, ô combien silencieux. On pouvait entendre chanter les cigales et voler les mouches. Personne au monde n'aurait pu se douter de l'intensité du vacarme qui régnait dans ma tête.

— Il est joli, ton cerf-volant.

Je me retournai d'un coup, faillis lâcher ma canne à pêche et perdre à jamais mon archange qui aurait piqué dans la rivière. Tout le monde sait que saint Michel ne sait pas nager, Léviathan n'en aurait fait qu'une bouchée, d'ailleurs il n'attendait que ça, ce monstre marin sans scrupule qui avait déjà croqué feu mon cousin Martin qui s'était aventuré sur la rivière. On racontait stupidement que la glace avait cédé, mais moi, je savais, j'ai toujours su.

L'intruse était Clarence Levent, une fillette qui se croyait tout permis sous prétexte qu'elle était jolie. Quelques années plus tôt, je lui donnais des claques, elle se mettait à chialer, alors je la reconduisais chez sa mère en disant qu'elle était tombée. Je l'ai toujours traitée cruellement en lui infligeant les pires tortures indiennes, je l'attachais à des arbres et la laissais plantée là pendant des heures, ou bien je mettais des têtards dans ses culottes. Mais je n'ai jamais réussi à la décourager. Je n'avais rien contre les filles, seulement je ne supportais pas que les gens subissent mon influence sans protester. Il était clair que j'avais une mauvaise influence et je tenais à être le seul à en bénéficier. Je n'avais pas beaucoup de principes mais les quelques rares qui me restaient, je désirais les garder. Un principe ou deux, ça peut faire pencher la balance.

— Qu'est-ce que tu viens faire ici ? Fous-moi le camp immédiatement ou je te fais manger du gazon !

Elle ne broncha pas d'un poil. Ses grands yeux bruns étaient fixés sur mon cerf-volant, exactement comme si je n'existais pas. C'était typique. Elle allait me gâcher la journée en me collant le train jusqu'au dimanche des Rameaux.

— Je te dis d'aller jouer ailleurs ! Et puis cesse de regarder mon cerf-volant.

— Un cerf-volant, tout le monde a le droit de le regarder, c'est fait pour ça, un cerf-volant.

— Pas le mien. Le mien, si on le regarde trop longtemps, on peut être changé en statue de calcium.

— J'aimerais bien voir ça !

— Tu ne verras rien du tout parce que tu dégages.

Elle ne bougeait toujours pas, elle s'en fichait complètement.

C'était une fille étrange, peut-être même plus étrange que moi. Je décidai de tenter le tout pour le tout :

— Si tu veux rester, il faut que tu enlèves ta culotte et que tu relèves ta robe.

Elle s'exécuta immédiatement comme si je lui avais demandé de me dire l'heure. Je n'étais pas vraiment lubrique de nature mais, tout de même, j'étais surpris de voir à quel point elle s'en foutait. Elle tenait sa robe relevée avec sa culotte dans la main.

— Et maintenant, qu'est-ce que je fais ?

Elle m'exaspérait, je ne voulais pas admettre qu'au fond elle me faisait peur et je ne pouvais m'avouer que sa détresse était plus grande que la mienne. Je lui arrachai sa culotte des mains.

— Si tu la veux, il faut que tu me trouves un trèfle à quatre feuilles.

Encore une fois, sans aucune hésitation, elle se mit à quatre pattes à la recherche d'un trèfle à quatre feuilles. Ses petites fesses café au lait pointaient vers le ciel. Ça ne me faisait rien, ses fesses, c'est même pour ça qu'elle n'avait pas hésité. Je dis des fesses café au lait, parce qu'elle avait du sang espagnol. Toujours est-il qu'avec cette attitude elle persistait à affirmer une supériorité contre laquelle je ne pouvais rien. Je savais que le plus ridicule des deux, c'était moi, même si les apparences tendaient à prouver le contraire. Mon cerf-volant piqua du nez dans la rivière, l'archange saint Michel, écœuré, décida de se suicider sans préavis. Il y eut un bouillon à la surface de l'eau. Léviathan venait d'emporter mon archange dans les profondeurs vaseuses de la rivière. Quelques secondes plus tard, la corde de nylon se cassa.

— J'en ai trouvé un !

Une voix si douce, si profonde… Je décidai qu'elle m'écorchait les oreilles. Clarence était là avec son trèfle à quatre feuilles dans la main. C'était décourageant.

— Et ton cerf-volant, où est-il passé ?

— Tu l'as dégoûté de la vie. Alors il s'est suicidé.

— Les cerfs-volants, ça ne se suicide pas. Ils sont comme les bêtes, ce sont les hommes qui les tuent.

— Je voulais pas te le dire, mais j'assassine régulièrement deux ou trois cerfs-volants par semaine et je jette leur corps dans la rivière.

— Ce n'est pas bien grave de tuer un cerf-volant. Des bébés ou des chatons, ça c'est grave, mais des cerfs-volants ça n'a pas de cœur. On dira juste que tu ne fais pas attention à tes jouets.

Je ne sais pas pourquoi je continuais à l'écouter. J'étais sur le point de lui donner une claque et de lui faire manger du gazon.

— Je te vois souvent dans les environs de la maison des Marinier, ces temps-ci.

Je n'eus pas besoin de prendre un air surpris. Je l'étais.

— Moi ? Et qu'est-ce que je ferais là ? Ils sont partis en vacances.

— Tu surgis.

— Je quoi ?

— Je dis que tu surgis. Une seconde tu n'es pas là et l'autre je te vois traverser le terrain derrière la maison, surgi de nulle part. C'est mon frère qui m'a appris surgi.

— Eh ben ! Ton frère il dit n'importe quoi, parce que je ne suis pas quelqu'un qui surgit du tout, seulement il m'arrive de chercher mon chat.

Cette conversation stupide commençait à me donner mal au cœur. Clarence sembla s'en rendre compte et changea de sujet :

— J'ai eu une idée pour faire de l'argent. Ma grand-mère Mathilde m'a donné sa recette secrète pour fabriquer de l'empois. Avant ma naissance, elle était bonne sœur mais elle a défroqué pour se marier avec un coupeur de glace de Trois-Rivières. Après l'invention du frigidaire, son mari s'est suicidé, il s'est congelé lui-même en plein hiver dans un trou à glace.

Elle était comme ça, Clarence. Elle parlait tout le temps, comme un moulin, surtout de choses incompréhensibles. Mais pour une fois, je la laissais débiter son chapelet sans protester, trop heureux qu'on ait abandonné le verbe surgir de nulle part.

— Mon idée, c'est qu'on pourrait fabriquer de l'empois, le mettre dans des bouteilles de coca vides et le vendre de porte à porte.

Je risquai une question à tout hasard, histoire d'avoir l'air intéressé :

— C'est quoi exactement de l'empois, Clarence ?

— Ça sert au repassage. Disons que c'est un produit ménager de première nécessité pour les cols de chemises, les capines de sœurs, les manchettes. Ça fait plus blanc que blanc et ça durcit le linge comme du carton.

Je n'avais jamais entendu parler d'une chose pareille et je ne voyais pas du tout à quoi ça pouvait servir, mais je ne disais rien et laissais Clarence développer sa stratégie de mise en marché. Elle me fit jurer sur la tête de son cousin Marcel (mort de leucémie deux ans avant) que je ne dévoilerais pas la recette secrète de la grand-mère Mathilde. Ce mélange révolutionnaire pouvait faire de nous des millionnaires et assurer l'existence confortable de plusieurs générations futures. Je prêtai serment sans hésiter et en toute bonne foi. On se donna rendez-vous pour le lendemain matin dans le hangar derrière sa maison, endroit qui deviendrait notre laboratoire secret pour la fabrication de ce produit qui changerait la face du monde.

Lorsque je rentrai dîner, j'étais décidé à redoubler de prudence pour éviter que quiconque me voie surgir de nulle part, surtout si ce nulle part était dans les environs de la maison des Marinier. Comme à son habitude, la bonne avait préparé un festin, une sorte de pâté de viande végétarien parfaitement immangeable, que je devais absolument avaler jusqu'à la dernière miette si je ne voulais pas passer le reste de la journée enfermé dans ma chambre. Cette bonne, neuvième enfant d'un troupeau de quatorze, était une folle qui avait été élevée dans une famille de cultivateurs. Comme ses parents, elle mêlait éducation et élevage. Elle fut la personne qui me causa le plus de mal au cours des premières années de ma vie. D'enfant rebelle, elle fit de moi un véritable paranoïaque.

Chapitre 7

J'avais décidé la veille que je ne retournerais jamais chez les Marinier. Pourtant, quelque chose me poussait à y aller. En fait, c'était un autre enfant, sans doute un paysan sauvage de la rue de l'Anse qui était allé dans cette maison. C'était lui le coupable. Bourru et brise-fer, ignare et sans culture, aucun sens de la valeur des choses, il avait cassé le clavecin et fait tout un bordel. Je me le représentais très bien dans ma tête, ce garçon : les cheveux poil de carotte, le menton égratigné, les ongles noirs, un vocabulaire de dix mots : vache, cochon, clôture, manger, foin, il ne savait même pas dire « Je t'aime » à sa maman, c'était trop compliqué. Il lui disait « Grosmolo » et elle l'embrassait sur le front en remontant sa couverture de cheval. C'était lui, le criminel. Moi, je m'en doutais, mais je n'avais pas de preuve. Pourtant il me semblait bien l'avoir vu surgir de nulle part.

À la hauteur de la maison des Marinier, je sortis à découvert et, toujours comme une flèche indienne, je me rendis jusqu'au soupirail de la cave. Là, littéralement aspiré par un Électrolux géant, je me retrouvai dans le sous-sol devant une catastrophe ferroviaire. Je n'avais pas éteint le transformateur. Il avait décidé de créer un incendie miniature au bureau de poste. Il y avait une odeur de plastique brûlé et un gros rond noir au milieu des voies ferrées. Je montai à l'étage.

J'étais revenu pour une raison bien précise, je voulais

savoir si j'avais bien creusé un trou dans la garde-robe de la chambre des parents parce que je n'en étais plus parfaitement sûr. Peut-être qu'au fond j'avais rêvé ce malheureux épisode. Sans le trou, les dommages demeuraient tolérables, mais avec le trou, rien à faire, il s'agissait d'un carnage engendré par un esprit déséquilibré. J'arrivai en haut de l'escalier avec une appréhension grandissante. Au salon, mon regard se posa sur le clavecin. Pas de doute possible, j'avais éventré la pauvre bête. Les morceaux de merisier gisaient sur le tapis, les traces d'unijambiste laissées par le liquide des fudgesicles évoquaient la danse macabre d'un rite vaudou. Je n'étais pas rassuré. Le spectacle de la chambre à coucher des parents confirma mes craintes, et je dus faire blocus pour empêcher la terreur de me gagner. Ce n'était pas moi. Ça ne pouvait pas être moi. On aurait dit que la chambre avait été touchée par un obus, un missile Scud dont la mission était de détruire la garde-robe des Marinier. Qui avait bien pu faire un tel bordel? Admettre que j'en étais responsable revenait à basculer dans la démence, et sans retour possible. Il fallait nier. L'horrible Poil de carotte réapparut dans mon esprit. Ce vandale sauvage, ce fruit de l'inceste, était venu ici pour enterrer des chats morts au fond de la garde-robe des Marinier. Et pourquoi ici, au juste? Probablement une initiation religieuse qu'il était obligé d'accomplir pour devenir un homme aux yeux de sa famille. Son père l'attendait à la maison avec un sécateur pour le circoncire. C'était ça, la dure réalité, ça et rien d'autre.

Épuisé comme si j'avais pleuré pendant trois heures, je redescendis à la cave. Peut-être avais-je pleuré? Il m'était difficile de savoir ce que je faisais ou ce que je ne faisais pas. La vie était lourde à porter en cette fin du mois d'août. Derrière la grosse fournaise à l'huile, je découvris un petit espace où étaient entassées d'épaisses couvertures de déménageurs. Sans trop comprendre pourquoi, je me couchai en boule et fermai les yeux pour m'endormir. Je répétais tout bas des mots étranges : Ios, Corfou, Dardanelles, Istanbul et je m'enfonçai dans un rêve absurde. Devenu miniature, j'étais enfermé dans le tableau de bord de la voiture de papa. Plus précisément dans le cadran du compteur de vitesse. Je voyais le visage de mon père concentré sur la route. Je frappais sur la vitre du compteur en lui criant : « Ne va pas trop vite, papa, l'aiguille rouge va me couper la tête en deux.» Mais il ne me regardait pas, et l'aiguille tranchante comme une guillotine se rapprochait de plus en plus. Mon frère me disait toujours que la voiture de papa ne pouvait pas dépasser cent dix milles à l'heure. Alors j'essayai de me déplacer vers les cent vingt. Mon tee-shirt se coinça dans la patte du cent à l'heure. Je tentai de me rassurer : jamais mon père n'irait jusqu'à cent à l'heure, c'était contre ses principes. Tout le monde le considérait comme un homme modéré, un modéré, ça dépasse pas les quatre-vingts, ça respecte les limites de vitesse. Malgré ces conjectures rassurantes, l'aiguille rouge touchait maintenant les quatre-vingt-cinq. Je regardais ma mort en face. L'aiguille allait me couper par le milieu et sur toute la longueur avec une lenteur atroce, cette lenteur qui était pourtant la représentation de la vitesse. Il y avait dans cette situation un message que je n'arrivais pas à comprendre. Au moment où la guillotine allait commencer à me pourfendre le cuir chevelu, je fus réveillé par des cris.

Il faisait noir comme dans une garde-robe. Garde-robe : le mot surgit si violemment dans ma tête que je faillis perdre connaissance. J'étais dans la cave des Marinier, derrière la fournaise, et les cris qui m'avaient réveillé étaient ceux de la famille Marinier qui rentrait de vacances. Moi qui croyais qu'ils étaient partis pour trois semaines ! Et voilà que ça courait partout à l'étage. Il y avait des cris d'horreur et les pleurs déchirés de Mme Marinier, probablement lorsqu'elle avait découvert son clavecin éventré. Les enfants pédalaient dans tous les sens, j'avais l'impression qu'ils étaient trois cents. M. Marinier hurlait qu'il fallait rester calme, jusqu'au moment, sans doute, où il pénétra dans la chambre à coucher. Pendant une minute, on n'entendit plus rien, pas même une mouche voler, puis il y eut un hurlement de rage. Quelle idée avais-je eu de me mettre dans un merdier pareil ? Quand je pense que j'aurais pu être chez moi, tranquille, à jouer au Lego.

Il fallait dégager du secteur en quatrième vitesse. Je croyais pouvoir atteindre les soupiraux, mais au moment où je décidai de me lancer, j'entendis des pas dans l'escalier. Mon sang s'arrêta net de couler dans mes veines. Je me mis en boule, la tête entre mes genoux. Je voulais devenir un caillou et passer le reste de ma vie en objet inanimé derrière la fournaise. Pour me protéger des regards, il n'y avait qu'une ombre, pas plus qu'une ombre. « Moi et l'ombre nous ne faisons qu'un, moi et l'ombre nous ne faisons qu'un. » C'était la seule phrase dont j'imprégnais mon esprit. Je fermai les yeux très fort, redoutant le moment où on allumerait. Mes deux mains bouchaient mes oreilles. Le fait de ne rien entendre et de ne rien voir me donnait la sensation de m'isoler davantage. Je percevais quand même des sons, mais lointains, venus d'un monde extérieur qui ne me concernait pas. Moi, j'étais au fond de la cale d'un cargo, au milieu de la mer. La pression de mes mains sur mes oreilles produisait un bruit sourd comme le ronronnement des machines. J'étais ailleurs, très loin, j'allais rejoindre ma maman de l'autre côté de l'océan. Il fallut pourtant que je relâche la pression et que je tente d'ouvrir un œil pour juger de la situation. Je regrettai aussitôt cette stupide initiative.

La cave était pleine de monde, les parents, les enfants,

même le chien. Ça discutait ferme, ça se perdait en hypothèses. M. Marinier ne cessait de se lamenter à cause de son train électrique. Caché par le réservoir d'huile de la fournaise, je ne pouvais voir que les jambes du troupeau, et les pattes du chien. Comment se fit-il que personne ne pensa à jeter un coup d'œil, même rapide, derrière la fournaise? Je ne le sus jamais. Après ce qui me sembla une éternité, Mme Marinier monta à l'étage avec toute la marmaille. M. Marinier resta sur place, il fricotait quelque chose sur l'établi. Quand j'entendis des coups de marteau, je compris qu'il bouchait le soupirail de la cave. L'espoir n'était plus permis. Il était furieux, M. Marinier. Je l'entendais marmonner des propos incompréhensibles, lourds de menaces pour les coupables, je dis les coupables étant donné le grand nombre de bâtons de fudgesicles qui traînaient partout dans la maison et l'énormité des dégâts. Il avait conclu que les vandales étaient au moins cinq ou six, peut-être même une douzaine, c'était un point pour moi. Tout le monde savait que je n'avais aucun ami.

Ayant achevé son petit travail de barricade, M. Marinier monta à son tour mais, hélas, il n'éteignit pas la lumière, ce qui laissait supposer qu'il avait l'intention de revenir, peut-être pour passer la cave au peigne fin, peut-être aussi qu'il m'avait vu et faisait semblant de rien, le temps d'aller chercher ses instruments de torture. Ma vie était finie. Jamais je ne sortirais de là vivant. C'était clair comme de l'eau de roche. Sans grande conviction, j'améliorai ma cachette en me glissant sous quelques couvertures de déménageurs. Ce fut une idée brillante. À peine le temps de rabattre la lourde étoffe matelassée que M. Marinier revenait à la cave. Il se dirigea directement derrière la fournaise et se mit à empiler méthodiquement l'équipement de camping sur les couvertures. Tente cuisine, tente des enfants, tente des parents, sacs de couchage, lits de camp, j'étais littéralement écrasé. En bon père de famille frustré, il montrait un grand zèle. Je recevais le tout sur le dos, mais je ne bougeais pas d'un poil, trop heureux d'être enseveli même si j'avais de la peine à respirer. Plus la charge augmentait et plus j'étais envahi d'un sentiment de sécurité, jusqu'au moment où souffla un vent de panique provoqué par un Zodiac, cette embarcation de plaisance qui, une fois dégonflée, pesait une tonne. Si M. Marinier avait rajouté ne fût-ce qu'un piquet de tente, c'en aurait été fait de moi. Heureusement, c'était fini. La lumière de la cave s'éteignit, j'entendis des pas dans l'escalier, il y eut encore quelques mouvements dans la maison, puis ce fut le silence.

Il était temps.

Je réussis à me dégager. Je restai planté au milieu de la cave. L'obscurité était quasiment totale, sauf la faible ligne de lumière qui passait sous le seuil de la porte, en haut de l'escalier. Il était inutile de penser que je pouvais sortir par le soupirail, vu que monsieur Marinier l'avait cloué avec du quatre-pouces à ciment. Il aurait fallu des grenades, et je n'en avais pas sur moi. Je devais pourtant sortir de cette maison le plus vite possible. Je n'avais aucune espèce d'idée de l'heure qu'il pouvait être, mais il semblait évident que tous les enfants de la terre dormaient à poings fermés, sauf les enfants perdus, kidnappés, ou encore les malfaiteurs comme moi. Je savais aussi que, si je sortais de là vivant, ce n'était que pour aller me faire assassiner chez moi. Mon père m'attendait sûrement avec une brique et un fanal pour me limoger. Limoger était une punition qui venait de Limoges, et qu'on infligeait jadis aux enfants qui avaient cassé de la vaisselle.

Pour sortir de là, il y avait deux solutions : partir en courant, monter les escaliers comme un fou et filer par la porte de devant, style flèche indienne, ni vu ni connu, le temps qu'ils sortent du lit, j'aurais déjà disparu dans la nuit, ou alors effectuer le même trajet mais sans faire le moindre bruit, ce qui supposait une extrême lenteur. Pas la flèche indienne mais l'iguane d'Amérique du Sud. Un pas, l'immobilité, un pas, l'immobilité. Geste suspendu dans l'espace, aucun bruit n'accompagne la progression. J'optai pour cette solution qui me semblait moins risquée.

Ce fut une épreuve épuisante. La partie de l'escalier de la cave ne comportait aucune difficulté, mais une fois dans le couloir, le réel supplice commença. Chacun de mes pas était accompagné d'un craquement épouvantable du parquet, il fallait rester figé comme une statue de marbre et attendre, attendre, et surtout attendre encore. Je voyais de la lumière dans la chambre des parents. La porte était même entrouverte et, de temps en temps, il y avait un bruit de page qu'on tourne, peut-être une police d'assurances. À un moment, M. Marinier se leva pour aller aux toilettes, il allait me découvrir en flagrant délit, c'était certain, mais il ne vit rien du tout. Je dus mettre vingt minutes pour atteindre le hall d'entrée. J'étais terrorisé, mais la poignée tourna dans un silence quasi miraculeux et la lourde porte s'ouvrit sans le moindre bruit. J'étais libre.

Je ne pouvais pas rentrer directement à la maison. Il fallait d'abord inventer un mensonge suréminent, absolu. J'étais acculé au chef-d'œuvre. Quelle heure pouvait-il bien être ? Je n'en avais aucune idée et il fallait pourtant que je le sache. S'il était, par exemple, onze heures et demie, ce n'était pas le même mensonge que s'il avait été deux heures trente du matin. Avant minuit, on nageait encore dans l'anecdote banale, l'étourderie sans conséquence, une petite histoire toute simple saveur boy scout. Mon père adorerait cela et le tour serait joué. Mais passé minuit, l'heure du crime, ça devenait tout de suite plus compliqué, il fallait développer. Crise de larmes, état visible de panique, épuisement, etc. Et si deux heures du matin avaient sonné, alors il fallait sang, blessures corporelles, état de choc, traumatisme crânien, points de suture, on ne rigolait plus. Je marchais à travers les champs de blé d'Inde, extrêmement songeur. Aucune rencontre surnaturelle n'était possible. L'implacable réalité de la vie enveloppait tout et ne laissait aucune place au petit prince charmant, au mouton dans des boîtes ou au maître renard sur un arbre perché. Il n'y avait que le monde obstinément réel. Même si je tournais en rond toute la nuit, le dénouement s'accomplirait aussi sûrement que le soleil allait se lever sur la terre ou que la lune allait disparaître dans la lumière. Le laitier monterait la rue dans son camion jaune, M. Latendresse tondrait le gazon des Landry, le chien Boussole ferait ses besoins sur le terrain des Bisson et maman ne cesserait pas d'être en voyage d'affaires. Tout cela était d'une tristesse qui n'avait aucun sens. L'image d'une balle de calibre douze qui pénétrait dans mon estomac hantait mes pensées. Une balle perdue, une balle d'une autre guerre, c'était la seule solution. L'Occident tout entier pesait sur mes épaules.   C'est à ce moment-là que j'entendis prononcer mon nom dans la nuit. Je reconnus aussitôt la voix de Clarence. Je sortis des champs et me retrouvai sur le terrain des Levent. Elle était là, pieds nus dans une robe de nuit blanche, petite vierge Marie phosphorescente qui avait accumulé dans une lueur diffuse les maigres restes de l'espoir.

— Léon, c'est toi? Viens vite, tout le monde te cherche partout, la police est là.

Sa voix était inquiète, au bord de la panique.

— Clarence, qu'est-ce que tu fais là?

— Je suis sortie en cachette, je savais que tu étais dans la maison des Marinier, je t'ai vu y retourner cet après-midi, j'ai toujours su. Quand la voiture est arrivée, je me suis dit que tu étais pris au piège à l'intérieur mais ils ne t'ont pas trouvé, t'es trop malin. Ton père a téléphoné à la maison pour savoir si tu étais là, moi j'ai dit que tu étais parti chercher ton chat, j'ai dit aussi qu'on l'avait vu courir vers le grand bois des Auclair.

Soupir de soulagement. C'était un bon départ. Il suffisait de broder un peu et les choses s'arrangeraient.

— Quelle heure est-il ?

— Trois heures et demie du matin !

Ce fut comme si on me guillotinait sur place, ma tête tomba sur le gazon mouillé, je la vis rouler un moment puis elle s'arrêta face contre terre. Quand je rouvris les yeux, Clarence me tenait dans ses bras, elle pleurait.

— Mais qu'est-ce qui t'arrive, imbécile ? T'as pas la leucémie, au moins ? Tu vas pas me décéder dans les bras comme mon cousin ?

Pour Clarence, seule la leucémie emportait les enfants ; si on n'avait pas la leucémie, on pouvait vivre éternellement.

— T'en fais pas, ça m'arrive souvent, c'est rien du tout, un étourdissement.

— Merde, merde ! Tu m'as fait peur, je veux pas que tu me fasses peur, tu comprends, imbécile ?

Elle était énervée, la Clarence, tandis que moi, je reprenais le contrôle des événements.

— Calme-toi, tout va s'arranger.

— Mais tu te rends pas compte, ils sont partis faire des battues dans la forêt, il y a trois autos de police dans ton entrée.

— Bon, écoute-moi bien, Clarence : retourne chez toi en vitesse et ramène-moi un couteau de cuisine, le plus coupant que tu trouves et reviens ici tout de suite.

— Pour quoi faire ?

— Ne pose pas de questions, fais-moi confiance.

Clarence partit en courant. Cinq minutes plus tard, elle était de retour avec un petit couteau insignifiant.

— C'est ça ton couteau le plus coupant de la maison ?

— Oui, c'est ça.

Elle avait raison. C'était un vraie lame de rasoir. Malgré son air inoffensif, il pouvait couper les cheveux en quatre.

— Bon, maintenant va-t'en. Rentre te coucher avant qu'on découvre que tu n'es pas dans ton lit.

— Qu'est-ce que tu veux faire avec le couteau ?

— C'est pas tes affaires. Allez, fiche-moi le camp !

— J'bougerai pas.

— Si tu t'en vas pas, je dirai à tout le monde la recette de la grand-mère Mathilde.

— Ça m'étonnerait parce que je te l'ai pas encore donnée.

— Écoute, Clarence, ce n'est pas pour les filles, les trucs de couteau.

— Rien à foutre.

— Bon. Tu l'auras voulu.

Je pris le couteau dans ma main droite et commençai à respirer comme un bœuf, très vite et très fort, puis le couteau vint lacérer mon épaule gauche à une vitesse hallucinante. Je ne croyais pas être capable de faire une chose pareille. La coupure était profonde et le sang giclait partout. Ce fut au tour de Clarence d'aller rouler par terre. La petite vierge Marie phosphorescente s'éteignit comme une allumette qu'on jette à la mer. J'eus du mal à la ranimer, j'étais pourtant habitué à lui donner des claques, mais là, elle persistait dans son inconscience. Je ne voulais pas la tacher avec ce sang qui coulait partout. On lui aurait posé des questions, elle n'aurait eu qu'à répondre qu'elle avait saigné du nez, mais cette tarte mentait comme un apôtre. Ce n'était plus du mensonge, ça devenait du péché capital qui conduisait tout droit en enfer. Enfin, elle se réveilla.

— Mais qu'est-ce que tu as fait, Léon ? Tu es devenu complètement fou !

— Ne me fatigue pas avec tes questions, je sais exactement ce que je fais. Maintenant, rentre te coucher, moi j'ai pas fini.

— Je reste. N'insiste même pas. Je reste. Et puis d'ailleurs, il faut que je rapporte le couteau à la cuisine, alors...

La deuxième incision fut beaucoup moins importante. Je me fis une minuscule entaille au cuir chevelu. Un filet de sang me dégoulina sur le visage, c'était parfait. Avec une gueule comme ça, j'avais une panoplie d'histoires à raconter, suffisait de choisir. Je pouvais rentrer tranquille à la maison. Clarence reprit son couteau.

— Avant que je te reprête un couteau, les poules porteront des lunettes fumées. Et n'oublie pas demain dans le hangar.

Elle disparut dans la nuit. Finalement, elle était bien, Clarence. Tout à coup, j'eus la sensation que je l'aimais énormément. Au lieu de me rassurer, ça m'inquiéta vachement.

— Je suis tombé d'un arbre, j'étais monté pour aller chercher mon chat, une branche a cassé, quand je suis arrivé par terre, ça m'a évanoui dans le coma.

On me conduisit à l'urgence, j'eus droit à trois points de suture. Le médecin n'avait jamais vu une branche faire une coupure de la sorte, il n'était pas con, le docteur. Malgré tout, il ne fit aucun commentaire.

J'étais un héros, la vie avait du bon.

Chapitre 8

Nous étions tout au début de la grande vague de l'alimentation naturelle. Dès le départ, mon père en fut un amateur fervent, pour ne pas dire enragé. Enfants chéris, cobayes privilégiés, nous nous lançâmes vigoureusement dans cette aventure. Et tout cela à la gloire de Dieu. Le premier extracteur à jus de la création atterrit dans notre cuisine, un appareil compliqué, très laid et très, très bruyant. Il ne cessa de hanter notre enfance. L'engin démoniaque servait uniquement à la fabrication de jus de carotte, boisson de prédilection de notre famille et que nous buvions en grande quantité sans que la discussion soit possible. C'était la base de tout. Jus de carotte, mes enfants, jus de carotte ! Le docteur Bruneau, ami de mon père, autre enragé, supervisait notre alimentation, et la bonne, aiguillonnée par l'enthousiasme général, se servait de ce nouveau concept alimentaire pour nous empoisonner la vie.

À l'école, mon lunch constituait une attraction : je m'asseyais à une table de la cafétéria et tout le monde venait en observer l'étalage. Il y avait un gros sandwich de pain de blé entier épais de quatre pouces et rempli à craquer d'alfalfa. (L'alfalfa, ou luzerne, venait de faire son apparition dans la chaîne alimentaire ; considérée à l'époque comme une sorte de gazon révolutionnaire, on la faisait pousser en grand secret dans des fermes biologiques des Rocheuses, tenues par des objecteurs de conscience qui refusaient d'aller se faire tuer au Viêt-nam et qui se vengeaient de l'humanité en lui faisant bouffer de la luzerne par la racine). Dans mon thermos, je retrouvais l'invariable soupe à l'orge, tiédasse, dont l'odeur faisait reculer les plus téméraires. Un demi-pied de céleri et une énorme carotte difforme provenant d'un potager nucléobiologique accompagnaient ce casse-croûte gastronomique. Comme dessert, j'avais droit à un assortiment de figues, de dattes et d'abricots séchés. Ce musée des horreurs provoquait chez mes camarades un sentiment de pitié et de compassion que l'on réserve normalement aux grands brûlés ou aux lépreux. On les plaint mais on ne les touche pas, même qu'on s'éloigne pour les laisser seuls avec leur maladie. Personne ne me regardait manger, c'était trop pénible à voir. J'accomplissais ce rituel dans un coin sombre de la cafétéria. Parce qu'il fallait tout manger, sans quoi la bonne me faisait bouffer le reste de force au souper. C'était un très grand péché de gaspiller de la nourriture à cause du Bangladesh. J'espérais que l'économie de ce pays s'améliorerait rapidement. En attendant, il fallait se gaver de luzerne pour ne pas empirer la situation. C'était un principe obscur auquel il fallait se plier. Des enfants mouraient de faim et, si on jetait son sandwich dans les toilettes ou par la fenêtre de l'autobus, on pouvait en tuer trois ou quatre d'un seul coup. Évidemment, j'étais fasciné par le lunch des autres enfants : sandwiches au saucisson de Bologne, véritable délice, Coca-Cola, tablette de chocolat, May West, demi-lune Vachon, carré au Rice Crispies. Impossible d'imaginer ce que représentait une Caramilk ou une Coffee Crisp à cette époque. Pour une moitié de Crunchie, j'aurais donné ma bicyclette. Je vouais un véritable culte à tout ce qui était junk food, et la quintessence, le symbole suprême de cet univers interdit était, bien entendu, la gomme baloune BAZOOKA.

Pour se procurer cette denrée illicite, il y avait deux problèmes majeurs : l'argent et les fournisseurs. L'argent, je n'en avais pas, et les fournisseurs étaient introuvables. Habitant au milieu d'un champ de blé d'Inde, dans une agglomération isolée, nous étions des êtres tout à fait à part qui n'auraient jamais la possibilité d'avoir une seule carie. La première épicerie se trouvait à cinq kilomètres, autant dire en Australie. Autour de mon école, il y avait bien le dépanneur Chez Pigeon, mais il fallait de l'argent, et c'était loin. Une bonne demi-heure à pied. On parlait de cet endroit comme du paradis des bonbons à la cenne. Mais j'étais trop petit pour entreprendre une pareille expédition pendant l'heure du dîner. Restait les échanges. J'avais peu de pouvoir : échanger une figue contre une gomme baloune, c'était de la science-fiction. Pendant un moment, je pus échanger mes crayons Prismacolor. Deux crayons contre une gomme baloune : c'était exorbitant, et mon stock fut rapidement épuisé. Pour le moment, nous étions en été, alors pas moyen de se procurer la plus petite cochonnerie.

Dans la coopérative, la folie naturiste avait pris des proportions de complot. Mon père en était le principal instigateur, et la plupart des familles de la rue s'étaient converties à cette doctrine. Ainsi, on se faisait récompenser de nos bonnes actions par des pommes, des oranges ou des graines de sésame. C'était tout simplement nous inciter à la délinquance. Pour ma part, j'en étais venu à penser que la seule solution, c'était le suicide collectif ou la mutinerie générale. Contrairement à mon père, j'aurais été bien incapable de convaincre qui que ce soit de me suivre dans cette voie hasardeuse.

La gomme baloune Bazooka devint mon emblème secret, le bonbon à la cenne, ma raison de vivre, comme la réglisse Mojo, les boules noires, les caramels, les jujubes et les négresses.

Nous vivions en rase campagne. Même si on avait voulu faire le chemin à pied jusqu'au magasin de bonbons, personne ne nous aurait laissés entreprendre une pareille expédition. La route qui longeait la rivière était considérée par tous les parents comme la départementale de la mort. Toutes les automobiles qui y circulaient étaient sans exception conduites par des assassins spécialisés dans les *hit and run* et les meurtres d'enfants. Il s'agissait seulement de poser le petit orteil sur cette route pour perdre une jambe. Et si, par une chance incroyable, on arrivait à traverser la rue, c'était pour se faire avaler vivant par les remous de la rivière, autre endroit où il suffisait de tremper le petit doigt pour être immédiatement englouti. Certains enfants survivaient quelques heures dans des souffrances inimaginables, d'autres, estropiés du cerveau, finissaient leur misérable existence dans des institutions spécialisées. Les exemples d'enfants écrasés ou morts de noyade pullulaient dans la rue. Chacune des trente familles racontait d'ailleurs des versions plus ou moins horribles des aventures de ces enfants désobéissants.

Clarence et moi avions décidé d'un commun accord d'abandonner la vente du produit ménager qui ne rapportait rien du tout pour ouvrir plutôt le Bubble Gum Club, société secrète dont le but et la raison sociale étaient de mâcher de la gomme baloune et d'en accumuler si possible pour créer des réseaux d'approvisionnement.

Toutes les formes de bonbons à la cenne étaient acceptées, mais la gomme baloune Bazooka restait évidemment le bonbon suprême. Nous opérions dans le plus grand secret. J'étais le président, Clarence, la trésorière. Au début, le travail fut très simple : nous n'avions que huit emballages vides et une demi-gomme baloune intacte encore recouverte de sa petite poudre blanche. Mais nous avions très honte de notre club. On n'en parlait à personne, même pas entre nous. Notre pauvre trésor était caché dans un coffre en fer qu'on avait enterré au pied d'un maigre bouleau qui se dressait, comme une erreur de la nature, au milieu du champ de betteraves de M. Patenaude. Le jour de l'inauguration du club, notre imagination surexcitée s'abîma dans des rêves de grandeur : montagnes de gomme baloune, rangées de pots de verre dans lesquels s'accumulaient des réglisses noires, rouges, vertes, des caramels, des jujubes, des chocolats. Mme Laura Secord en personne devenait notre présidente d'honneur et soutenait nos projets les plus fous.

L'une des règles de notre club était que, à chaque réunion, il fallait apporter une sucrerie quelconque pour le trésor. Cet après-midi-là, je n'avais trouvé qu'un demi-rouleau de Certs dans la pharmacie de mon père. J'étais assis près du bouleau, à ruminer des idées de catastrophes mondiales auxquelles seuls Clarence et moi survivions, ce qui nous permettait de piller allégrement des supermarchés de gomme baloune. Je nous voyais défoncer les portes de l'usine Bazooka et sortir la gomme par caisses de quarante livres que l'on chargeait sur d'immenses trains électriques que je dirigeais, perché au sommet du grand chêne des Brodeur d'où, j'en étais sûr, on voyait le monde entier, la Grèce y compris.

Il y avait déjà une bonne heure que j'attendais Clarence. Je commençais à trouver le temps long. Le soleil écrasait la campagne. Si ça continuait, il ferait bouillir la terre, et les oiseaux tomberaient du ciel, rôtis en plein vol. Le bouleau maigrelet diffusait une ombre ridicule qui n'arrivait même pas à protéger une sauterelle. Au bout d'un moment, je vis la tête de Clarence et ses cheveux noir ébène. Elle était encore loin, mais je reconnaissais sa démarche lente et tragique, comme si le cortège funèbre de la reine de Saba l'avait suivie. Ce qu'il y avait d'impressionnant chez Clarence, c'était la façon dont sa tête était rattachée au reste de son corps, une tête de légende, des yeux ouverts sur mille milliards d'années. Elle avait caressé l'échine des dinosaures, nagé dans des mers devenues des continents. Un visage kaléidoscopique où s'inscrivait, par fragments, l'histoire du monde depuis le protozoaire jusqu'à l'invention de la bombe. Tout cela semblait arrimé sommairement sur un corps de fillette à peine sortie de la tendre enfance. Je me mis à pleurer doucement. Ce n'était ni de la tristesse ni de la joie, mais plutôt des larmes sans raison. Je savais que bientôt les rêves de Clarence et les miens allaient fusionner.

Clarence venait à ma rencontre. Ses pensées étaient loin derrière un mur invisible, elle accomplissait le trajet inscrit depuis la nuit des temps, elle venait à moi parce qu'il n'y avait rien d'autre à faire. Loi de la gravité, qui basculait à l'horizontale. En réalité, nous étions tous deux immobiles, mais l'univers se contractait pour nous rapprocher l'un de l'autre. Je fermai les yeux pour écouter le monde se dissoudre sous mon corps. Le champ de betteraves disparaissait peu à peu, emporté par les replis du néant. J'avais décidé de faire semblant de dormir, mais je tombai dans mon propre piège et sombrai dans un profond sommeil.

Je me souviens d'avoir rêvé que Clarence venait vers moi, mais elle n'avait plus de corps, il ne restait que sa tête soutenue par un halo de lumière. « N'aie pas peur », qu'elle me disait en s'approchant. « J'ai toute ma tête, mais tu comprends, Léon, mon corps, mon corps, comment te dire ? Il était devenu trop lourd, j'ai dû m'en débarrasser. » « Mais où l'as-tu mis ? », que je lui demandais, ne sachant si j'allais sombrer dans la terreur ou me raisonner. « Ils ont enterré mon corps dans le cimetière », qu'elle me répondit. J'optai alors pour la terreur. Un chien à trois pattes se mit à courir vers moi. C'était Wilfy, dit la Galette. Il me regardait dans les yeux, son corps était couvert de boue, un flot de sang coulait du moignon de sa patte croquée.

Il me parlait : « Tu sais, Léon, il nous manque tous quelque chose pour être heureux, mais toi, toi, il te manque…» Je n'entendis pas le dernier mot parce que Wilfy se mit à japper au lieu de parler, et moi à hurler : Wilfy tirait sur ma chemise, il voulait en arracher les boutons.

— Réveille-toi, imbécile ! Réveille-toi, tu fais un cauchemar.

Je me sentis secoué comme dans une machine à laver. Parvenu à l'extrémité de la terreur, je décidai d'ouvrir les yeux. Clarence était devant moi en chair et en os.

Je me levai péniblement. J'avais une bosse sur le crâne et aucune idée de la façon dont j'avais pu me la faire.

— Tu m'as fait peur, Clarence.

— Moi ? Je n'ai rien fait du tout ! Je suis arrivée ici, tu hurlais comme une bête qu'on égorge, tes jambes pédalaient dans le vide, j'ai cru que tu avais une attaque de leucémie.

— Écoute, Clarence, lâche-moi avec ta leucémie. Je n'ai pas la leucémie, je n'aurai jamais la leucémie. Peut-être la tuberculose, la lèpre, le choléra, la syphilis, le cancer des os, la sclérose en plaques, mais je n'aurai jamais la leucémie, tu comprends ?

— Mais qu'est-ce qui t'est arrivé, pourquoi tu criais ?

Je n'avais pas envie de répondre à sa question, je ne voulais plus jamais repenser à ce cauchemar. Je fis blocus comme d'habitude, je rangeai tout dans le tiroir de ma mémoire où il y avait déjà une garde-robe, un clavecin, une maman disparue, un train électrique incendié et d'autres choses encore, bien d'autres choses que j'avais oubliées, mais qui étaient là.

— Alors, qu'est-ce que tu ramènes pour le trésor ?

Clarence parut gênée. Elle sortit de sa poche un papier ciré dans lequel je découvris un énorme morceau de chocolat.

— Pas mal, pas mal du tout. Pourquoi tu fais la gueule ?

— C'est du chocolat pour la galerie.

Elle avait presque crié. Ses yeux s'emplissaient de larmes à vue d'œil.

— C'est de la frime, du bidon, du chocolat amer pour la cuisine, tu comprends ? Aussi bien manger du savon ! C'est moins dégueulasse.

Elle était bouleversée, la Clarence.

— Calme-toi. On s'en servira pour les initiations. On le fera bouffer aux nouveaux membres comme épreuve et on va bien rigoler.

— Aux nouveaux membres ? Quels nouveaux membres ? Tu connais quelqu'un qui voudrait faire partie d'un club aussi minable que le nôtre ?

À ce moment-là, elle aperçut mon demi-rouleau de Certs. Elle éclata d'un rire hystérique. Clarence pouvait être tellement blessante.

— Pourquoi pas de l'aspirine ou des valiums, un coup parti ?

— N'exagère pas, Clarence. Disons que c'est à la limite entre le bonbon et le médicament.

— Écoute, Léon. Il faut réagir : ou on ferme le club ou alors on s'organise pour avoir un vrai trésor.

Elle avait l'air vraiment décidé.

— Et comment qu'on s'organise, je te prie ? Si tu as une idée, c'est le moment de la dire.

— Oui, j'ai une idée, imbécile, j'y ai pensé toute la nuit.

J'étais heureux de savoir qu'elle y avait pensé toute la nuit. Je n'étais plus seul à me tourmenter. Clarence avait fait le même rêve que moi et, dans ses yeux de mille milliards d'années, je pouvais lire une détermination farouche et un aveuglement irresponsable, soit les ingrédients nécessaires pour accomplir de grandes choses. Notre société secrète allait survivre. Clarence sortit de sa poche une grande feuille de papier.

— J'ai fait un plan. Je te préviens : il y a des risques mais on a pas le choix. J'ai même inventé une devise : *Qui n'a rien doit tout risquer.* Ce sera notre cri de ralliement.

Personnellement, je n'avais aucun problème avec cette devise parce que je n'avais rien.

— *Qui n'a rien doit tout risquer.* Ça me plaît, ta devise, Clarence.

Malgré son ton de maîtresse d'école que je n'avais jamais entendu avant et qui me tapait sur les nerfs parce qu'il signifiait un changement dans nos relations, je dois avouer que son plan avait de l'allure, du moins la première partie.

— D'abord, il nous faut de l'argent, du pouvoir d'achat, comme dit mon frère. Et tu admettras qu'en général, dans le coin, l'argent est plus facile à trouver que la gomme baloune.

— J'ai deux dollars et soixante-quinze cents de ma grand-mère Lafrance, que je dis fièrement à Clarence.

Elle me regarda comme si j'étais un demeuré.

— Deux dollars et soixante-quinze cents, qu'est-ce que tu veux qu'on fasse avec ça ? T'es bouché, ou quoi ? Je veux constituer un réseau d'approvisionnement avec des relais, des points de rencontre, je veux qu'on ramène au moins trois cents gommes balounes, de la réglisse, des caramels, des jujubes. Il nous faut au minimum quarante dollars.

— Quarante dollars ? Mais où tu crois qu'on va trouver quarante dollars ? C'est le prix d'une bicyclette neuve.

— Laisse-moi finir, Léon. Dans la rue, en ce moment, il reste encore trois familles en vacances. Les Dufort, les Moreau et les Dupré. Les Dufort ont huit enfants et ils tirent le diable par les deux bouts.

— Ils quoi ? demandai-je.

— Ils sont pauvres. La fille, Gisèle, elle porte la culotte de hockey de son frère Lucien pour aller à l'école, le petit GG est plein de verrues sur les doigts. C'est un signe extérieur de la pauvreté, c'est mon frère qui me l'a dit.

— Ton frère ! Chaque fois qu'il ouvre la bouche, c'est une vraie encyclopédie, une chance qu'on l'a, parce que sans lui on serait tous recalés, non ?

— Ne dis jamais rien contre Charlie et laisse-moi finir mon plan. Donc, éliminée la maison des Dufort. On va pas aller voler du fric chez des nécessiteux.

— Monsieur Dufort est dentiste, ils ont trois voitures et l'été dernier ils ont fait construire un tennis derrière la maison.

— Justement, Léon : ils sont endettés jusqu'au cou, ils n'ont même plus d'argent pour acheter des robes à Gisèle, et puis la maison est beaucoup trop près de la route. Trop risqué de se faire voir. Il reste les Dupré et les Moreau. Or Mélanie Moreau est ma meilleure amie, je veux pas aller lui piquer sa tirelire, et puis elle a pas quatre dollars dedans, je l'ai vue la semaine dernière, elle dépense tout dans les fringues de Barbie, tandis que les Dupré, c'est la maison idéale. D'abord, elle est bien cachée derrière une haie de cèdres, ensuite monsieur Dupré est comptable et il a cinq enfants, c'est parfait pour nous.

— Et pourquoi c'est parfait ?

— Simple question de psychologie. Tout le monde sait qu'avant de se marier, M. Dupré était frère économe au monastère de Mistassini. Quand il a hérité de sa mère, il a garoché le bon Dieu et les chants grégoriens pour épouser cette pute de madame Dupré qui, sur l'autoroute du sexe, s'est fait passer dessus par tous les camions *teamsters* de l'Amérique du Nord.

— Je comprends rien à ce que tu dis. Qui t'a raconté des choses pareilles ?

— Mon frère.

— Évident, je me demande même pourquoi j'ai posé la question !

— Il le sait très bien, puisque Mathilde Dupré est assise à côté de lui, à l'école. Maintenant, suis mon raisonnement. Tu imagines un père comptable qui en plus était frère économe : ça déteint sur les enfants, ils doivent tous économiser comme des malades, leurs tirelires pleines à craquer, et puis moralement on est complètement couverts.

— Ce genre de question ne m'empêche pas de dormir, mais je serais curieux de connaître la nature de notre couverture morale.

— C'est exactement la seule famille qui a une piscine pour eux tout seuls, Léon. Ça devrait suffire.

— Je vois pas le rapport.

— Le rapport, c'est que si ce traître du bon Dieu qui épouse une pute a les moyens de se faire construire une piscine en forme de cacahuète dans sa cour, il pourra bien renflouer ses morveux, une fois qu'on aura passé par là.

— À ce compte-là, on devrait aller dans la maison des Guertin qui ont un énorme voilier et une Jaguar. Ça coûte bien plus cher qu'une piscine, et tout le monde sait qu'il fait partie de la pègre. Alors, moralement, si on me demandait mon avis, ce qui n'est pas le cas, je trouverais que la maison des Guertin est l'endroit idéal.

— La maison des Guertin, c'est une forteresse, et puis, ils sont pas en vacances. Arrête de parler pour rien dire, ce sera la maison des Dupré, c'est décidé.

Il n'y avait pas si longtemps, je lui aurais fait bouffer du gazon. Qu'est-ce qui s'était passé ? J'aurais dû lui foutre une paire de claques, comme ça, spontanément, pour remettre les choses à leur place. Mais je n'en avais plus envie, et c'était bien là le drame. Doucement, sans bruit, Clarence s'emparait de mon cœur, un cœur vacant qui n'avait plus personne à aimer. Elle sortit alors une grande feuille de papier et la déplia sous le bouleau. Mes yeux s'ouvrirent grands comme des billes de *flipper*, c'était un plan à l'échelle qui représentait la rue Grandbois et la campagne environnante. Il y avait la rivière qui serpentait au milieu, les champs de blé d'Inde, le champ de betteraves, les maisons, les granges, les hangars, tout. Quand je dis qu'il ne manquait rien, il ne manquait rien, pas même les fils électriques. Les bordures du dessin avaient été brûlées pour donner un style plan de pirate avec un gros X rouge à l'endroit où se trouvait le trésor.

— Tu as fait ça toute seule ? que je lui demandai, incrédule.

Clarence me regarda comme si je venais de lui tirer les cheveux.

— Ben, qu'est-ce que tu crois ? Je l'ai dessiné sous les couvertures, à la lampe de poche, avec un crayon à moitié fini. Plus tard j'en ferai un autre encore beaucoup mieux.

Je ne voyais pas comment on pouvait faire mieux. Pour moi, c'était le plus beau plan de pirate que j'avais vu de ma vie.

— Clarence, je ne devrais pas te dire ça, parce que ça pourrait nuire à ton éducation caractérielle en développement, mais… mais…

Je savais pas comment lui dire.

— Mais… mais… pour une fille, t'es… t'es… t'es… mieux qu'un tracteur, voilà.

Visiblement, Clarence ne comprenait rien à ce que je racontais et moi non plus d'ailleurs.

— T'es mieux qu'un tracteur ? Ça veut dire quoi, t'es mieux qu'un tracteur ? Tu te fous de ma gueule ! L'éducation de mon développement caractériel, tu parles en quelle langue ? Si tu n'aimes pas mon plan, tu n'as qu'à le dire tout de suite, je le déchire.

Déjà elle joignait le geste à la parole.

— Non, non, déchire-le pas, c'est le plus beau dessin que j'ai jamais vu. Faut pas m'en vouloir, c'est un langage pédalogique de grande personne qui veut dire que… que…

J'étais encore bloqué.

— Ben, sors-le ! On y passera pas l'après-midi !

— Que je t'aime !

Il y eut un long silence qui dura quarante jours dans une salle d'attente de dentiste. Clarence me regardait droit dans les yeux, mais elle était allée faire de la plongée sous-marine au Pérou. Moi, je voulais retirer mes paroles et les enterrer au centre de la terre, enfermées dans un coffre-fort antinucléaire allemand.

— Moi aussi, je m'aime, Léon, je suis complètement amoureuse de moi.

Sur le moment, je ne compris pas que ça me faisait de la peine. C'était logique pourtant : puisque je l'aimais, il était naturel qu'elle s'aime aussi, mais j'avais la sensation que si je me mettais à réfléchir à la question, ça pouvait me déchirer en deux. Je fis donc un blocus automatique pour plus de sécurité et j'enfouis la réponse dans un petit tiroir qui se trouvait sur le continent africain, sous les pyramides d'Égypte, un endroit peu passant. Quand on enfouit des trucs comme ça au plus profond, la peine ne disparaît pas avec le truc, ce serait trop beau. Non : la peine reste, sauf qu'elle n'est reliée à rien, du moins en apparence. Alors, elle s'amenuise d'elle-même. Bien sûr, il reste un petit fil invisible, mince comme un cheveu d'ange. Si par curiosité on se dit : « Tiens, un cheveu d'ange, je me demande bien où ça mène. Je ne me souviens plus de ce qu'il y a au bout », c'est là le danger. On se met à suivre le petit fil jusqu'en dessous des pyramides d'Égypte, on ouvre le tiroir sans crier gare et là on prend tout dans la gueule. Ça peut tuer aussi sec. Les grandes personnes appellent ça de la psychanalyse. Pour moi c'était du suicide.

Avec son doigt de pianiste de concert, Clarence vint désigner un point précis sur le plan.

— Après la maison des Dupré, c'est là qu'on va.

Je reconnus l'endroit immédiatement. C'était l'hospice.

Chapitre 9

Au bord de la rivière, juste avant la montée Grandbois, il y avait le couvent des sœurs, qui était en réalité un hospice de vieux. Tout le monde était vieux là-dedans, même les sœurs. Leur peau avait viré au gris cendre de cigarette ; on les appelait les sœurs grises. Aussi surprenant que cela puisse paraître, cet endroit ne nous était pas interdit. Il suffisait de dire que nous allions aux vieux, comme on dit on va aux framboises, et le tour était joué, on pouvait disparaître. On nous avait expliqué, en effet, que les vieux aimaient la compagnie et que la visite d'un enfant qui leur faisait un dessin ou leur chantait une chanson avait sur eux des effets thérapeutiques.

Une fois, l'année précédente, le vieux Boudrias, qui était au chapitre de la mort à cause du cancer de la moelle et dont le docteur disait qu'il lui restait trois jours à vivre, eh bien, moi et mon copain Louis, on l'avait fait durer un mois et quatre jours. Tous les matins, on se pointait dans sa chambre et on lui chantait *Au clair de la lune*. On avait transformé les paroles pour rendre la chanson moins ennuyeuse : des histoires de portes fermées, de chandelles mortes, de pénurie d'allumettes et de zouaves pas foutus d'avoir un stylo pour écrire un mot, ça ne convenait pas pour un mourant. Notre petite version toute gaie, elle, avait le don de mettre en joie :

Au clair de la lune, j'ai pété dans l'eau
Ça a fait des bulles, c'était rigolo
Ma grand-mère est venue avec des ciseaux
Elle me coupa les fesses en quatre mille morceaux.

Le vieux Boudrias ne pouvait plus parler mais il savait encore rire. Il se tordait. On s'était pas forcés question lyrisme mais faut croire que cette version contemporaine lui mettait du cœur au ventre. Avant de partir, on pissait dans sa bassine pour que la sœur Gisèle lui fasse un compliment. Une bonne pisse bien claire et Boudrias avait droit à un verre de vin rouge au dîner.

L'idée de Clarence était qu'on annonce à nos parents qu'on irait aux vieux toute la journée. Ce que nous ferions, mais seulement une heure, histoire de nous faire voir dans la baraque. Après quelques visites, on se tirerait par les cuisines, qui donnaient sur le champ de M. Patenaude. Si d'aventure on se mettait à nous chercher, il y aurait des témoins pour dire qu'ils nous avaient vus, c'était l'essentiel. Le couvent était tellement grand… Pour le reste on n'aurait qu'à broder. « On vous a cherchés partout ! » « Ben, on était là, pourtant ! » Pas plus compliqué que ça. Un jeu d'enfant.

— Jusque-là, ça va. On se retrouve dans le champ de monsieur Patenaude. On a deux solutions : ou bien on prend la route de la rivière et on se fait ramasser par le premier parent qui passe en voiture, ou bien on pique par les champs et on en a pour cinq heures de marche dans les marécages. Seulement pour aller. Je parle même pas du retour. Le coup des vieux, ça tient cinq ou six heures au max. Mais dix heures plus tard, il vont mettre la garde côtière, la brigade des mœurs, les scouts et les majorettes à notre recherche. On n'a pas une chance.

Clarence me regardait avec un sourire que je n'aimais pas

beaucoup parce qu'il me donnait l'impression qu'elle me prenait pour un débile.

— On ne va pas au village de Belœil, Léon. Comme tu dis si bien, on n'a pas une chance, la distance est beaucoup trop grande. Par contre, Saint-Charles, c'est juste à côté.

— Saint-Charles!

Je ne suivais pas son raisonnement. Saint-Charles était à côté, mais de l'autre bord de la rivière.

— Et la rivière?

— Pour la rivière, on prend le traversier de la rue de l'Anse.

Les mots rue de l'Anse furent jetés sur l'après-midi ensoleillé comme des taches d'encre noire au milieu d'un tableau de Cézanne. Je devins tout pâle. Même pour rigoler, on ne prononçait pas le nom de la rue de l'Anse.

L'Anse était une bande de terre s'avançant dans la rivière, une sorte de presqu'île qui devenait parfois une île, quand la rivière montait. Ses habitants devenaient des insulaires jusqu'à ce que la rivière redescende. Cela pouvait durer de trois à quatre semaines. Les résidents s'adonnaient à des rites étranges sous l'effet des drogues : ils faisaient cuire des agneaux vivants et sacrifiaient un grand nombre de grenouilles en les mangeant en salade avec de la mayonnaise et du paprika. Mais tout cela n'était que banalités. Les histoires qui couraient au sujet de la rue de l'Anse franchissaient les frontières du réel et dépassaient les paliers de l'horreur. On parlait de sacrifices humains, de cannibalisme et d'étranges pratiques sexuelles. Quatre familles seulement habitaient cette rue, et la plupart des gens s'entendaient pour dire que leurs unions incestueuses avaient engendré des mongols à la douzaine, atteints de maladies comme la malaria, le typhus et la fièvre jaune. Ce n'était pas tout le monde qui médisait des habitants de la rue de l'Anse. Il y avait, en effet, cette catégorie de personnes dont mon père faisait partie et qui en parlaient avec plus de nuances : « Ils sont différents de nous », ou bien… « L'intolérance et l'imagination populaires sont responsables du malheur de ces pauvres gens », ou encore : « Au fond, ils ne sont pas si différents de nous ». Autant de trucs qui avaient l'air de les excuser.

S'il restait un endroit dans ce monde où la raison n'avait plus cours, où chaque demeure délabrée renfermait des entités démoniaques, c'était la rue de l'Anse. Même les framboises sauvages contenaient des sucs capables de provoquer la folie. À côté de la rue de l'Anse, Sodome et Gomorrhe c'était le Club Méditerranée.

En fait, on savait peu de chose au sujet de ces gens : à la fin des années quarante, le grand cirque Brentano avait fait une tournée nord-américaine. Un incendie criminel avait anéanti le grand chapiteau, il y avait eu trois morts et une dizaine de blessés, le procès avait duré quatre mois. Le propriétaire du cirque avait accusé ses trapézistes, les frères Léonov, d'avoir mis le feu, tandis que ceux-ci retournaient l'accusation contre le propriétaire qui voulait ainsi toucher l'assurance. Enfin, faute de preuves, personne n'avait été condamné. Les frères Léonov avaient été congédiés du cirque, le poing levé et l'injure aux lèvres. En 1949, ils avaient acheté cette bande de terre qu'on appela la rue de l'Anse et ils s'étaient convertis à la culture maraîchère et à l'élevage des vaches laitières. Les trois frères, Tacha, Nicolas et Yvan, étaient mariés. Tacha avec Rosie, la femme tatouée, Nicolas avec Simone, la tireuse de cartes, et Yvan, devenu aveugle dans l'incendie, avait épousé Lucie, la femme-tronc, qui n'avait ni jambes ni bras mais qui, selon les ragots, avait des yeux si puissants qu'elle pouvait voir voler une mouche de l'autre côté de la rivière.

Cette joyeuse équipe avait fait de nombreux enfants que

nous ne connaissions pas, mais qu'il m'arrivait d'apercevoir aux abords de la rue, quand on y passait en voiture. Il y avait un petit kiosque où ils vendaient des vers pour la pêche. Ils se tenaient en bande de trois ou quatre. Mais la voiture roulait toujours trop vite. Seules des visions fugitives restaient dans ma mémoire : une fille aux cheveux noirs et un garçon poil de carotte. Les autres étaient trop petits pour qu'on les voie, on aurait dit des miettes de pain. La bonne ne manquait jamais de déclarer qu'ils étaient l'incarnation vivante du diable et de l'enfer, des boutures de Satan. C'était tout ce qu'on savait de la rue de l'Anse et ça me suffisait. J'aurais refusé de prendre un traversier à cet endroit de fous même s'il y avait eu, de l'autre côté de la rivière, toute la gomme baloune de la terre.

— T'as peur, avoue que t'as peur ! On n'en fera pas un drame, mais il suffit de prononcer le nom de la rue de l'Anse pour que tu te mettes à avoir la chienne.

Je lui ai foutu une claque en pleine gueule. Ça m'a fait un bien énorme. Mais Clarence, ça ne l'a pas calmée du tout.

— Tu peux bien me donner des claques tant que tu veux, j'ai l'habitude. Tous les soirs, mon oncle rentre saoul à la maison et il me dévisse la tête, alors tes petites claques de frustré, c'est du vent.

— Je n'ai pas peur, ça n'a rien à voir. Je ne fais pas confiance à ces gens-là, c'est tout.

— Qui te parle d'avoir confiance, on s'en va pas déposer nos économies chez eux. On se pointe là-bas, on s'embarque sur le traversier, on paye notre passage comme tout le monde. Une fois de l'autre côté, on a cinquante mètres à faire pour arriver au magasin de bonbons. Dix minutes plus tard, on sort le baluchon plein à craquer, on se refait le trajet sens inverse, ni vu ni connu. Pas de quoi fouetter un chat. Il est où, le problème ?

— Ils ne nous laisseront pas traverser sans l'accord de nos parents.

— Ils se foutent complètement de nos parents. Tu leur mets deux dollars dans la pince et ils te traversent jusqu'en Chine si tu veux.

Je ne savais plus quoi répondre. Clarence avait gagné, elle savait que je la suivrais même en enfer.

Derrière le champ de betteraves de M. Patenaude, le soleil plongeait de l'autre côté de la soucoupe pour aller faire pousser du basmati chez les Chinois. C'était l'heure de rentrer pour le dîner. Sur le chemin du retour, Clarence et moi on ne s'est pas dit un mot. Pas le moindre soupir. On était dans un film sourd et muet, noir et blanc, mais il s'y passa quelque chose de surprenant, d'extraordinaire. Clarence me prit la main et la noua dans la sienne. Ça ne me dérangeait pas de lui tenir la main, j'avais déjà tenu des mains avant, seulement là, il se produisit quelque chose de bizarre. Les veines qui finissaient à mes jointures se détachèrent pour aller se souder à celles de Clarence. Je sentais son sang espagnol me monter dans le bras, bouillir au niveau de la clavicule puis foncer à toute vapeur vers mon cerveau. Si, à ce moment précis, on m'avait demandé de lâcher la main de Clarence, ç'aurait eu la même signification que de me couper le bras.

Cette nuit-là, j'eus beaucoup de difficulté à m'endormir. Mes pensées voyageaient dans des sphères douteuses. D'abord, il faut le dire, j'avais reçu une carte postale de ma mère. Cela m'avait fait un immense plaisir. J'ai apporté la carte postale dans ma chambre comme s'il s'agissait d'un papyrus écrit de la main de Ramsès II en personne et sur lequel aurait été inscrit l'emplacement exact du tombeau de sa belle-sœur. Par contre, sur cette carte postale, où on voyait des édifices à colonnes qui tombaient en ruine, il était écrit des choses qui me sapaient le moral, des mots comme du béton armé quand on fonce dedans : « J'espère que tu es sage. » « Ne fais pas de mauvais coups. » « Prépare-toi pour la rentrée scolaire. » Ça lui allait bien de venir me coller le remords dans la conscience juste au moment où je l'avais en quarantaine. Et puis, était-ce vraiment son désir que je sois sage ? N'y avait-il pas eu une entente tacite, une sorte de pacte secret entre elle et moi et qui disait : « Fous le bordel, mon garçon, ta maman est d'accord » ?

Pour trouver le sommeil, je m'inventais des histoires où je sauvais Clarence qui s'était fait capturer par les frères Léonov en vue d'être sacrifiée haut et court sur l'autel d'une divinité obscure, qui avait besoin d'une vierge pour se calmer les nerfs. J'arrivais juste à temps avec ma pince-monseigneur et je massacrais tout le monde. Je finis par m'endormir alors que le sang pissait partout. Mais la nuit ne me laissa pas tranquille pour autant. J'aurais dû mettre mon réveille-matin.

Il faut toujours mettre son réveil quand la nuit annonce les cauchemars. Il aurait sonné à trois heures du matin et, comme ça, j'aurais pu éviter que la terreur ne me poursuive jusqu'à l'aube. Dans mon rêve, c'était moi qui me faisais prendre par les frères Léonov, et Clarence ne me sauvait pas. Elle négociait avec les belligérants, cette salope. « Coupez-lui seulement une oreille ; si vous le tuez complètement, ça va faire jaser, mais une oreille, c'est sans problème, il a l'habitude des coupures, même que vous pouvez le lui demander, il se la coupera lui-même. » J'étais horrifié de l'entendre parler comme ça, bien plus que de me voir couper une oreille, parce que je le savais, que j'étais dans un cauchemar, je savais toujours quand j'étais dans un cauchemar. On a beau être au courant du déroulement, ça n'enlève pas la peur. Au bout de la peur, il y a le cri, et au bout du cri, on se réveille. Le processus est si irrémédiablement le même que ça en devient presque banal. « Oh ! Merde ! Encore un cauchemar. Allons, bon, il faut la peur et puis le cri qui réveille, alors venez, ne vous faites pas attendre, venez les hordes de loups aux dents pointues, venez les colonies de monstres, les vampires qui sucent les sucres de l'enfance, l'enfer au grand complet, venez qu'on en finisse, ce ne sera pas la première fois. » Mais voir Clarence négocier mon oreille, ce n'était plus de la peur, mais de la peine, et de la peine dans un cauchemar, c'est tout simplement intolérable. Ça m'a mis hors de moi, et quand je dis hors de moi, il faut le prendre exactement comme c'est dit. Je me suis retrouvé au plafond, en train de me regarder dormir. Je me disais que, si je me réveillais maintenant, j'allais rester tout seul, sans moi, et que je serais collé au plafond pour l'éternité, tandis qu'en bas il y aurait un corps vide et pas foutu d'attacher ses baskets. On appelle ça un voyage astral. Quelle connerie quand on y pense. Si j'étais allé visiter Pluton ou Vénus, ça aurait valu le déplacement, mais le plafond de ma chambre que je connaissais par cœur, je ne voyais pas l'intérêt. J'ai dû retourner dans mon corps à un moment ou à un autre parce que, au matin, j'étais redevenu tout moi-même, en chair et en os, réconcilié avec la vie, frais et dispos pour entreprendre les infractions quotidiennes inhérentes à ma vie. Aujourd'hui, c'était un grand jour, puisque Clarence et moi allions nous associer dans l'univers du crime pour, en l'occurrence, foutre le bordel chez les Dupré.

C'était moi l'expert en infractions et je voulais en mettre plein la vue à Clarence, qui avait tendance à se prendre pour le cerveau des opérations. La semaine d'avant, j'avais vu Greg Morris à la télé dans *Mission Impossible*. Il ouvrait une porte-patio avec une ventouse reliée à un truc qui sert à couper la vitre. Le mec plaquait sa ventouse sur la vitre et, avec son coupe-machin, il faisait un rond parfait, ensuite il donnait de petits coups autour du rond avec un marteau de docteur à réflexes, puis il tirait délicatement sur la ventouse, et le rond se détachait comme par magie. C'était du travail de super-expert professionnel, surtout sur la musique de *Mission Impossible*. Il ne lui restait plus qu'à passer la main dans le trou et à déverrouiller la porte. Si j'arrivais à faire un truc du genre devant Clarence, je lui imposerais le respect dans la gueule tout le reste de l'été.

J'ai volé le compas de mon frère. Il fallait être en sixième année pour posséder un compas à soi, ça servait à la géométrie et ça pouvait servir aussi à piquer quelqu'un qui veut vous péter la gueule. Hop! on sort son compas et on lui en rentre le bout dans la jambe. Ça fait réfléchir, c'est garanti. Sur le bout pointu, j'ai piqué une grosse ventouse que j'ai trouvée dans mes jouets et sur l'autre extrémité où se trouve le crayon normalement, j'ai mis un truc qui sert à couper les vitres. M. Latendresse s'en servait pour la céramique et pour réparer les carreaux des fenêtres. Je n'étais pas peu fier de mon instrument. Je le remis dans sa boîte tapissée de velours noir. Ça faisait très chic. Je refermai le tout avec un sentiment de supériorité réservé uniquement à l'élite professionnelle, dont je faisais partie désormais.

Je devais rejoindre Clarence à huit heures tapantes dans le hangar, derrière sa maison. Tout allait se passer ce jour-là : le pillage de la maison des Dupré, la tournée chez les vieux, la rue de l'Anse, le traversier, les bonbons, la gomme baloune, le retour. Tout.

Chapitre 10

Commença alors une incroyable journée. Il y a des hommes qui meurent, revivent et remeurent sans jamais connaître une journée comme celle-là, et pourtant ils laissent aller leur dernier souffle en ayant l'impression qu'ils ont vécu. Ce qui la rendit si particulière, cette journée, c'est que même trente ans plus tard, je m'en souviens encore dans les moindres détails. Chaque minute, chaque heure est gravée à jamais dans ma mémoire comme si, au fond, toute ma vie, je n'avais vécu que cette seule journée et que j'attendais depuis, dans l'obscurité, que daigne se lever un nouveau jour.

Ce matin-là, le ciel était d'un bleu presque foncé, ce qui est assez inhabituel dans ce pays : les ciels sont toujours d'un bleu délavé, comme si une mince couche de nuages les empêchait de prendre une teinte franche. Certains peintres locaux affirment que le ciel du Québec est le plus beau du monde. Moi, je le trouve assez moyen, mais je ne suis pas un peintre local. Ce matin-là, le bleu du ciel ressemblait à de l'acier. On avait l'impression qu'il aurait suffi de tendre le bras pour en détacher un morceau. Absolument tout était immobile. Il n'y avait pas un pet de vent. Le temps semblait arrêté. Si on m'avait dit : « Léon, attends une minute, je reviens tout de suite », eh bien, cette minute m'aurait paru une heure. Si on m'avait dit : « Léon, tu viens de manger, il faut attendre une heure avant de te baigner », eh bien, je ne me serais jamais baigné du tout, parce que je serais mort de vieillesse avant. Il était comme ça, le temps, en cette étrange journée du 14 août 1968.

À huit heures moins le quart, il faisait déjà 90 °F. Nous allions battre un record de chaleur, nous allions pouvoir faire cuire des œufs sur le toit des voitures. Je marchais au milieu de la rue, en direction de la maison de Clarence. Mon regard ne cessait de se tourner vers l'ouest, vers les champs de M. Patenaude. Je faisais semblant de les regarder, car en réalité mon regard portait plus loin. Au fond du paysage, il y avait une touffe d'arbres d'un vert sombre que le soleil du Sahara n'aurait pas pu faire jaunir : c'était l'Anse. Même à ce moment, je ne pouvais comprendre que j'allais me rendre là-bas de mon plein gré : il me faudrait parlementer avec ces fous furieux pour monter à bord d'une embarcation de fortune et traverser cette rivière remplie de monstres marins, comme Léviathan qui avait mangé feu mon cousin Martin et un grand nombre de mes cerfs-volants. Au plus profond de mon être, j'espérais que Clarence avait changé d'avis, mais je n'y comptais guère. On n'échappe pas à son destin. Il y a des êtres qui sont sur terre pour accomplir des choses ensemble, même si parfois la vie les sépare. Tôt ou tard, ils se retrouvent pour parfaire l'impossible. Déjà, enfant, je savais inconsciemment que le bonheur était là, au bout de l'impossible, dans tout ce qui est inaccessible, un univers parallèle où il suffit parfois de se lever le matin pour avoir les deux pieds dedans. C'est comme ça, la vie. Il n'y a pas un monde, il y a mille mondes. La chenille qui traverse la rue tranquillement porte, sur le dessus de sa quatrième patte de gauche, un système solaire dont trois des planètes principales sont en feu à cause d'un vieillard qui a pêché un crapet-soleil dans une rivière où la pêche est interdite.

En douce, je m'approchai de la maison de Clarence. Je connaissais peu de chose sur sa famille et sur ses fameuses origines espagnoles, dont elle parlait rarement. Quand on lui posait des questions, Clarence restait vague. Si on ne l'écoutait pas avec une attention extrême, on pouvait avoir l'impression qu'elle parlait d'une famille de poissons rouges qui vivait dans un bocal en banlieue de Pékin. La plupart du temps, ça n'avait aucun sens, et pourtant elle vouait une sorte de culte à sa famille, ce que je n'ai jamais très bien compris. Chose certaine, son père n'était plus dans le paysage, il avait disparu de la circulation peu après sa naissance. Pour Clarence, c'était un raté, un lâche qui n'avait droit à aucune considération : « C'est mon géniteur, uniquement mon géniteur », qu'elle disait. Je ne savais même pas ce qu'était un géniteur, mais ça confirmait ma théorie parce que, dans le mot géniteur, il y a le mot génie. Et j'étais convaincu que ce qu'il y avait de meilleur chez Clarence venait de son père, ce lâche, ce raté irresponsable qui lui avait laissé une âme incomparable, qu'elle ne comprenait pas elle-même, et un pouvoir considérable sur l'art et la création.

Déjà, à sept ans, elle dessinait des choses étonnantes. Je me souviens de cette femme moitié humaine, moitié lionne qui donnait naissance à un enfant du Tiers-Monde. Toutefois, elle ne dessinait pas souvent ; son caractère perfectionniste entrait en opposition avec son manque de patience et l'empêchait de se consacrer à un travail de longue haleine. Parfois elle venait faire ses devoirs à la maison, je voyais son esprit partir à l'aventure comme une petite déesse, elle créait des êtres de son invention. Avec un A, elle faisait une vieille dame tenant un filet à provisions, ses parenthèses se transformaient en fines pattes ciselées de libellule, l'horrible grammaire perdait son sens premier et devenait l'origine d'un monde merveilleux, un W se métamorphosait en un poisson-scie, dans le haut des pages de son cahier surgissaient des châteaux perdus dans des champs d'avoine, les chevaux traversaient les pages pour s'enfuir dans des colonnes d'imparfaits et de subjonctifs. D'instinct, elle savait reconnaître la beauté dans l'œuvre humaine, non pas dans les hommes eux-mêmes, mais dans ce qu'ils arrivent à fabriquer. Son regard s'arrêtait naturellement sur les choses les plus authentiques. Voilà, selon moi, ce qu'était l'héritage de son père.

À l'époque, je n'étais qu'un petit lézard aux portes d'un grand désert, et j'aurais tellement voulu dire à Clarence que le courage et la lâcheté sont frères jumeaux. Souvent on croit voir l'un quand en réalité il s'agit de l'autre. Je ne connaissais pas les raisons qui avaient poussé le père de Clarence à partir, mais je crois bien qu'à sa place j'aurais fait la même chose. Sa mère vivait dans un univers étrange : bibelots ridicules, meubles recouverts de plastique, toréadors sur fond de velours. Par ailleurs, c'était une femme charmante, parfaitement égoïste mais charmante. Elle parlait un dialecte à elle, difficilement compréhensible, un mélange d'anglais et d'espagnol très touchant, un langage de petite fille tiraillée entre deux cultures et qui ne trouvait plus sa place ni dans l'une ni dans l'autre. Enfin, son instinct maternel était comparable à celui d'une bétonneuse.

Dans cette famille, en effet, il n'y avait que Clarence qui jouait à la maman, et surtout avec sa mère. Il y avait aussi son frère Charlie à qui elle vouait une vénération aveugle. Elle ne prenait aucune décision importante sans le consulter. Selon elle, Charlie avait la science infuse ; il était impossible qu'il puisse se tromper sur quoi que ce soit. Ça me tombait sur les nerfs au plus haut point. Charlie, le scientifique de haut niveau, avait acquis la plupart de ses connaissances en écoutant *Star Trek* à la télé. Lui et Spock ne faisaient qu'un. Enfin, il y avait l'oncle Diego que je détestais viscéralement parce qu'il battait Clarence. De toute façon, il battait tout le monde. C'était une éponge à rhum. Chaque fois qu'il était saoul, il foutait une raclée à tout ce qui bougeait autour de lui : chiens, chats, femmes et enfants. Je disais souvent à Clarence : « Tu n'as qu'un mot à dire et je le tue. » Elle ne dit jamais ce mot, ce qui fut une bonne chose. J'aurais fini en prison et là, j'aurais dû apprendre le métier de tueur à gages. En réalité je connaissais peu la famille de Clarence. Elle ne me laissait pas l'approcher car, pour elle, le monde était séparé en plusieurs catégories qu'il ne fallait mêler à aucun prix. Je n'ai jamais su de quelle catégorie je faisais partie. Clarence me disait souvent : « Si tu ne ressemblais pas tant à mon père... Mon Dieu, comme tu lui ressembles ! Ça gâche tout. »

À huit heures tapantes, Clarence sortit de la maison et vint me rejoindre dans le hangar. Immédiatement, je vis que sa lèvre inférieure était enflée. Ma main se mit à serrer le manche d'un vieux râteau. Je ne pouvais pas supporter ça, ça me défigurait le cœur et me barbouillait l'estomac. J'aurais voulu me transformer en balle de fusil calibre douze, canon scié, et pulvériser ce connard de Diego au point qu'on aurait retrouvé des morceaux de sa cervelle jusque dans le champ des Brodeur.

Clarence regardait la blancheur de mes jointures sur le manche du râteau.

— Cesse de t'énerver. Je suis seulement tombée dans la salle de bains, un accident stupide. C'est tout.

Je savais qu'elle mentait et je m'accrochais à son mensonge comme un naufragé à une planche pourrie.

— Il a beau être ton oncle, un jour, je vais lui éclater la tête.

— En attendant, on a du travail. Vaut mieux pas trop traîner dans le coin, si on veut être dans les temps. Peu importe ce qui arrive, il faut être de retour avant six heures trente ce soir, sinon t'auras de bonnes raisons de lui péter la gueule à mon oncle.

On est partis, par le petit chemin bordé de cèdres qui

mène au champ de blé d'Inde. Ce n'était pas la joie. La journée commençait mal, une impression de corvée malsaine comme s'il nous fallait aller noyer une portée de chatons. Je pensais au Viêt-nam. On pensait beaucoup au Viêt-nam à cette époque, ça donnait du courage. Je me disais que les soldats ne devaient pas toujours avoir envie d'aller massacrer un village, mais c'était la guerre. Alors, comme le boulanger pétrit aux aurores, le soldat, lui, massacre à l'aube. Et puis, c'était une guerre haute en couleurs, le Viêt-nam, surtout pour ceux qui avaient la télé en couleurs, comme les Lapointe. En noir et blanc, ça perdait de sa valeur, on avait l'impression d'un documentaire sur la guerre de 39 : quand les mecs crevaient, on pouvait penser qu'ils étaient morts depuis vingt ans, tandis qu'en couleurs, même si on ne voyait pas le sang ni rien, ça nous foutait un cafard sérieux. On avait la sensation d'être inutiles sur la terre : c'était ça, la guerre en direct, une grande sensation d'inutilité.

Clarence et moi allions démolir la porte-patio des Dupré ; il y avait là-dedans une logique incontournable. Elle marchait devant à travers les épis de maïs bien mûrs. Je la suivais déjà, comme un chien suit son maître. C'était pathétique. Heureusement, mes pensées étaient ailleurs, un ailleurs inévitable. Bientôt, M. Patenaude allait faucher tout le blé d'Inde pour nourrir ses vaches à viande. Cet immense camouflage disparaîtrait pour laisser place à un désert de Libye où il suffirait de poser le pied pour être repéré quatre milles à la ronde. Ce sentiment de sécurité si absolument nécessaire à mon existence allait être rasé jusqu'à la racine, il deviendrait alors impossible de surgir de nulle part. D'ailleurs, ça servirait à quoi ? Dans deux semaines, l'école recommencerait, et ma vie serait finie. M. Patenaude qui fauchait son champ, ça voulait dire que je serais séparé de Clarence. Je ne pouvais même pas y penser tellement je trouvais ça énorme. Un paquebot dans une mare à grenouilles, une grenouille dans une mare à paquebots. Un non-sens, une absurdité. Tout l'amour que j'avais pour ma mère, je l'avais transféré sur Clarence presque aussi rapidement qu'on change de chaîne à la télé. J'allais probablement être encore obligé de me suicider.

— Dis donc, Clarence, tu te rends compte ? Dans deux semaines, c'est l'école qui recommence.

J'avais dit ça mine de rien, genre : « T'as pas du feu que je brûle deux cents hectares de forêt vierge ? »

Clarence ne répondit pas tout de suite, elle prenait son temps, pénétrait dans mon cerveau par la porte de derrière et analysait chaque mot au microscope.

— Pourquoi ils veulent que tu sois pensionnaire ? C'est dégueulasse.

— Parce que je mélange mes B et mes D. Ils disent que c'est pas grave, que ça s'appelle de la dyslexie et qu'il faut que j'aille dans une école spécialisée.

— T'as qu'à plus mélanger tes B et tes D.

— Il est trop tard, leur décision est prise, et puis, quand je me concentre sur mes B et mes D, je me mets à mélanger mes M et mes N.

— Ma mère dit que tu es un enfant à problèmes.

— Je suis pas un enfant à problèmes du tout ! Ta mère réfléchit avec ses bigoudis. Qu'est-ce qu'elle peut connaître là-dedans ? C'est une nouvelle maladie, c'est sorti l'année passée.

— Peut-être que ça prendra pas beaucoup de temps à guérir et que tu seras revenu à Noël ?

— Peut-être.

On arrivait à la hauteur de la maison des Dupré. Il fallait sortir du champ sans être vus. Les seuls voisins embarrassants étaient les Brisson, et les limites de leur terrain donnaient sur le cabanon de la piscine. On devait traverser environ dix mètres à découvert. Une sorte d'autorité suprême s'empara de moi, celle que j'avais toujours eue lorsque j'étais seul, l'instinct de survie mêlé à l'envie démesurée de transgresser les lois de ce monde ingrat qui me soulevait le cœur. Pendant l'instant où nous courions vers la maison, j'étais redevenu moi-même et je marchais vers la gloire comme Richard Cœur de Lion vers le château de Châlus, avec la délicatesse d'Arsène et la témérité de Zorro. À mes côtés dans le crime, mon amour, tout roulerait nickel. On pénétrerait dans l'infraction comme un dauphin dans la mer des Caraïbes, on se glisserait dans le décor ni vu ni connu et on raflerait tout, ma princesse.

Quand je sortis mon étui noir et que j'en ouvris délicatement le couvercle, ce fut au tour de Clarence de faire les yeux ronds. L'étrange instrument l'impressionnait au-delà de mes espérances. Elle voulut le prendre dans ses mains.

— Non, non, n'y touche pas. Tu pourrais le dérégler. C'est un mécanisme capricieux. Une autre fois, peut-être. Je l'ai spécialement ajusté pour les portes-patio.

Clarence me regardait avec les yeux de l'admiration profonde. Je jubilais outrageusement à l'interne, mais mes gestes restaient précis et efficaces comme si j'avais fait ça toute ma vie. Le calme du professionnel.

— On dirait un compas, constata Clarence.

— Il y a un peu de ça, effectivement, mais en réalité c'est beaucoup plus compliqué.

— Ah ! bon.

Elle avait mis la main sur mon épaule et observait le moindre de mes mouvements pendant que je faisais toutes sortes d'ajustements complètement inutiles, ponctués de calculs mentaux à haute voix.

— La vitre a trois centimètres d'épaisseur, donc je divise par trois cents, ce qui me donne une pression de dix à la puissance trois. Le diamant doit alors pénétrer sur une circonférence équivalente à quatre quarts d'un angle obtus.

— Mais où tu as appris tous ces trucs-là ?

— Chez moi, c'est naturel. Tu sais, Clarence, ne te laisse pas impressionner par la technique : c'est important mais ce n'est pas essentiel.

— Et c'est quoi, l'essentiel ?

— Le talent, Clarence, le talent.

Je finis par installer la ventouse sur la vitre de la porte-patio et commençai à tracer un cercle avec le coupe-vitre. On pouvait entendre voler une mouche et aussi le petit bruit du diamant décrivant son trajet illicite. Les yeux de Clarence brillaient d'une passion nouvelle, je savais que son corps était parcouru d'une sensation à la fois délicieuse et inquiétante, il manquait seulement la musique de *Mission Impossible*. Une fois le cercle terminé, je sortis mon marteau. Ce n'était pas un marteau de docteur, comme à la télé, seulement un Estwing seize onces ordinaire. Mais j'avais recouvert le bout rond avec un morceau de vieille chambre à air. Ça faisait pro qui se débrouille avec les moyens du bord. Alors, exactement comme dans l'émission, je me suis mis à marteler délicatement les contours du cercle. Il me tardait que Clarence glisse son bras à l'intérieur pour aller déverrouiller la porte. Il fallait avoir de la grandeur d'âme pour exercer le métier de cambrioleur ; surtout faire participer les novices le plus possible. Après avoir bien martelé le contour, je tirai sur la ventouse. Absolument rien ne se produisit. J'étais déçu et Clarence s'inquiétait.

— Qu'est-ce qui se passe ? Ça ne marche pas ? T'as un problème ?

— Non, non. Seulement, c'est de la vitre galvanisée au polyuréthanne renforcé. On peut pas savoir à l'avance, faut seulement que j'augmente la pression du diamant de huit huitièmes au millimètre carré.

— Je croyais que tu faisais un rond ?

— Clarence, cesse de poser des questions et laisse-moi faire. Il faut de la patience, beaucoup de patience.

Je refis le tour avec le diamant, creusant bien les sillons, et recommençai l'opération du marteau. Puis je tirai de nouveau sur la ventouse. Rien ne bougeait. Pas même un petit craquement de vitre, rien du tout. Pourtant, dans *Mission Impossible*, ça marchait du premier coup. Mais il faut toujours se méfier de la télé. Je me dis que peut-être le titre de l'émission indiquait clairement que toute tentative d'imitation était vouée à l'échec. Je décidai de donner un coup de marteau un peu plus fort. La vitre de la porte-patio se fendit par le milieu et éclata dans un bruit formidable qu'on entendit jusque dans le Vermont. Clarence et moi avons dégagé le secteur en quatrième vitesse pour aller nous planquer derrière une touffe de potentilles. Clarence avait la blancheur d'un cumulus, la novice. Sa lèvre enflée tremblait comme une feuille et ses yeux me lançaient des bâtons de dynamite.

— Mais t'es complètement malade ! Qu'est-ce que c'est que ce travail ?

— J'ai mal calculé ma pression, ça arrive souvent avec le polyuréthanne renforcé.

Clarence se mit à crier :

— T'as fini de m'écœurer avec tes conneries ?

— Ne parle pas si fort et cesse de t'énerver. Faut toujours que tu fasses un drame avec rien du tout. On n'a qu'à rester cachés un petit moment pour voir ce qui arrive. Je suis sûr que personne n'a entendu.

Chapitre 11

On est restés derrière le massif de potentilles au moins vingt minutes. On ne voulait pas se l'avouer, mais on était pétrifiés par la peur. L'escouade anti-émeute allait débarquer, encercler la maison avec des lance-flammes et nous envoyer en prison. Le voisin, M. Brisson, sortit sur la véranda. Il portait un peignoir marron, comme celui de mon père. Il mit le nez au vent comme pour prendre le frais, puis il rentra. L'éclatement de la vitre avait ouvert une porte, mais pas seulement celle de la maison des Dupré. L'espace-temps avait basculé et nous avons senti que nous étions sur une ligne parallèle au temps réel. Juste à côté de nous, peut-être à trois ou quatre centimètres, il y avait le temps normal, c'était facile, c'était tout près, on pouvait réintégrer le monde avec une parole, un geste, un clignement de paupière, même une pensée : « Il fait chaud... Si on allait à la piscine ? » Toute bête, presque insignifiante, la pensée. Mais ni Clarence ni moi ne pouvions dire un mot. Les grillons grillonnaient, dans les arbres et sur les fils électriques, les oiseaux jacassaient, le chien Boussole jappait au bout de sa corde, un avion à réaction traversa le ciel, une tondeuse à gazon faucha un nid de fourmis, les cloches d'un village voisin sonnèrent le glas d'un mort inconnu. Mais tout cela n'était qu'illusions sonores, Dieu avait mis une cassette ambiance banlieue minable, tandis que le monde en profitait pour se retourner comme une crêpe de sarrasin. J'aurais ouvert les yeux sur la surface lunaire que je n'aurais pas été étonné. Pourtant, on n'avait pas bougé du massif de potentilles.

— Dis-donc, Léon. Il y a une drôle d'odeur tout à coup.

— Oui. On dirait des jonquilles.

— Si on était dans un grenier et qu'on ouvrait une malle de vieux linge, je dirais peut-être que ça sent la jonquille, mais là, en ce moment, même si je reniflais une jonquille, je dirais que ça sent le vieux linge moisi.

— Ça vient du vent…

— Bon, alors, on y va ?

— Ben oui, je pense que c'est le temps d'y aller.

C'était drôle. On ne bougeait ni l'un ni l'autre. J'ai même regardé un moustique me piquer le bras, il est devenu tout gros, gorgé de sang, mais je n'ai pas bougé, je l'ai laissé se goinfrer tant qu'il voulait.

— Aïe, Léon !

— Oui, Clarence.

— Qu'est-ce qu'on attend ?

— Je sais pas. Le Messie, peut-être ?

— Si le Messie débarquait, il choisirait pas la journée la plus chaude de l'été. Un Messie, ça débarque en octobre ou bien à Noël.

— Alors, c'est peut-être qu'on attend quelqu'un d'autre.

Il y eut un silence qui avait tendance à vouloir se prolonger jusqu'à l'éclipse du soleil. Finalement, Clarence déclara :

— Dis-donc, Léon Doré, tu serais pas en train d'essayer de me foutre la trouille aux fesses, par hasard ?

— Si je voulais te faire peur, ça signifierait que j'ai peur moi-même, alors que je m'en fous complètement. Je parle pour parler.

— Alors, je ne vois pas pourquoi je resterais derrière ce stupide buisson à écouter tes conneries !

Clarence se précipita jusqu'à la terrasse et disparut dans la maison des Dupré.

Vu que je pensais qu'on avait changé de dimension temporelle et que, par conséquent, personne ne pourrait me voir, je traversai le terrain d'un pas nonchalant. M. Brisson réapparut sur sa véranda, je me planquai derrière les cèdres au cas où lui aussi aurait changé de dimension. M'aurait-il vu qu'il aurait pu décider d'appeler la police montée. Et puis, je n'étais pas absolument persuadé qu'on avait changé de dimension, surtout à cause de ma piqûre de maringouin qui me démangeait furieusement. Encore une fois, M. Brisson renifla l'air ambiant, toujours dans son peignoir marron. Peut-être qu'il trouvait que ça sentait la jonquille moisie ? Trois minutes plus tard, quand il eut senti tout ce qu'il y avait à sentir, il rentra dans son bungalow et j'en profitai pour rejoindre Clarence.

La maison des Dupré était, contre toute attente, d'un goût quasiment parfait. Il y avait une telle recherche esthétique là-dedans que ça me rendait nerveux. L'agencement des pièces, les couleurs, le tapis, les tableaux sur les murs, la profusion de bibelots, même les choses les plus insignifiantes étaient d'une qualité outrageante. Il y a des limites qu'il ne faut pas dépasser : la cuvette des toilettes aurait pu être exposée chez Tiffany et vendue aux enchères… Moi, ça me titillait l'amour-propre. J'étais incapable de lancer un bibelot sur la cheminée, impossible. Le bras me bloquait : trop beau. Et même si ce n'était pas trop beau, c'était trop précieux. Énervant au possible. J'ai fait un essai avec une statuette représentant un chien assis sur une pyramide. Je l'ai lancée contre le manteau de la cheminée et ça lui a coupé la tête. Après un petit moment de satisfaction, je fus immédiatement assailli par le remords et la honte. Quand je ramassai la tête, qui gisait par terre, la civilisation inca tout entière cria sa douleur. Prudence, que je me dis. Valait mieux pas trop vandaliser le décor, il y avait des trucs dans cette maison qui pouvaient vous coller trente ans de malheur, à l'aise. Valait mieux, question de détruire, s'en tenir aux trucs ordinaires.

Le grand problème qu'engendre l'argent, c'est qu'il permet à des imbéciles d'acquérir des choses qu'ils n'auraient jamais dû avoir en leur possession. Faudrait une loi.

C'était une maison construite sur un étage et demi : du rez-de-chaussée, on avait accès à une mezzanine qui couvrait la moitié de la maison. On y trouvait la chambre des parents, une grande salle de bains et la bibliothèque. Par expérience, je savais que la chambre des maîtres était toujours plus susceptible d'apporter un butin intéressant. Il s'agissait par contre de ne pas trop fabuler au fond des garde-robes et de rester concentré sur la réalité. En cette fin du mois d'août, assommée par la chaleur, la réalité se faisait la malle à tout bout de champ de blé d'Inde.

Je ne voyais Clarence nulle part. Elle inspectait probablement le sous-sol où se trouvaient les chambres des enfants. Mais sa présence dans la maison me rassurait. S'il me prenait des envies de perforer les plafonds ou d'éventrer les matelas, elle saurait me ramener sur le droit chemin.

Je fus déçu par la chambre des parents. Contrairement au reste de la maison, elle était pratiquement vide : un lit, deux tables de chevet avec deux lampes coiffées d'abat-jour en dentelle. Une misère de chambre à coucher. Ce n'était sûrement pas dans une atmosphère pareille qu'on fabriquait des familles nombreuses. Je me suis mis à penser que les parents Dupré avaient sans doute adopté leur marmaille dans un orphelinat des Îles Mingan, péninsule éloignée, ce qui leur permettait de proclamer à la face du monde qu'ils les avaient faits eux-mêmes. Pourtant, Charlie semblait dire que Mme Dupré avait le feu au derrière et, comme on le sait, les paroles de Charlie et l'Évangile selon saint Jean, c'était la même chose.

Les murs de la chambre étaient nus à l'exception de trois icônes accrochées en face du lit, et qui représentaient la Vierge Marie à différentes étapes de sa vie. Je dis trois icônes, mais il n'y en avait que deux : celle du centre avait disparu, il restait une ombre sur le mur blanc avec un clou planté au milieu. Je ne pouvais pas dire pourquoi, mais l'emplacement de l'icône manquante m'angoissait à mort. C'était un avertissement, comme si une étape importante venait d'être censurée. L'icône de droite représentait Marie en conversation avec un roi mage : elle lui expliquait que de la myrrhe et de l'encens, c'était pas très éducatif pour un bébé naissant, et qu'elle aurait préféré un mobile de l'escadrille de l'air. L'icône de gauche, beaucoup moins joyeuse celle-là, représentait Marie effondrée au pied de la croix, dépassée par les événements, regardant son fils cloué sur du deux-par-quatre galvanisé. Elle ne disait rien, mais on la sentait vachement préoccupée, on pouvait même lire dans ses pensées : « C'est ça qui arrive, imbécile, quand on parle tout le temps de son père ! » En ce qui me concernait, la majorité de mes problèmes venaient de cette manie que j'avais de parler du mien. Je me demandais avec angoisse ce que pouvait signifier l'icône manquante. Pour le reste, la chambre n'avait pratiquement aucun intérêt, si ce n'est qu'à l'intérieur de la garde-robe, il y avait une photo de Mme Dupré, en bikini, en train de souffler un gâteau d'anniversaire. Écœuré, je suis passé dans la bibliothèque. Tout de suite, j'ai compris que s'il y avait du liquide dans la maison, c'était quelque part dans cette pièce. Comment dire ? Ça sentait le pognon à plein nez, des odeurs de fraudes fiscales, des relents de devises étrangères. C'est ici qu'il fallait concentrer nos efforts.

Chapitre 12

Je me suis mis à la recherche de Clarence pour lui dire de cesser de perdre son temps avec les tirelires des enfants. Je l'ai trouvée dans une des chambres du sous-sol, et jamais je n'oublierai ce que j'ai vu quand j'ai ouvert la porte.

D'abord, pas grand-chose. La pièce était dans la pénombre, les rideaux tirés, aucune lumière, une zone grise où les bateaux vont s'échouer au hasard. L'air et le vide bouillonnaient de particules insaisissables qui faisaient apparaître dans les coins obscurs des vieillards accroupis ramassant des miettes de pain.

— Clarence, tu es là?

— Non, elle n'est pas là, elle est partie à la messe avec sa grand-mère. Dehors, les loups mangent les enfants.

Le son étrange de sa voix était largement suffisant pour que je comprenne que ça n'allait pas du tout. Je me suis mis à chercher l'interrupteur comme un malade. Cette voix, je la connaissais, elle venait de la peur. Clarence avait eu un accident de voiture, elle se vidait de son sang, il fallait lui mettre un garrot au plus vite pour arrêter l'hémorragie, sinon elle perdrait la tête et sombrerait dans la folie. Toutes ces déductions ont traversé ma tête en quelques secondes. Agir vite et bien. Voilà. Seulement, je n'avais aucune idée de la procédure à suivre. Il y avait A, B, C et D. A : repérer la victime ; B : localiser l'hémorragie ; C et D : je ne savais pas du tout. Et je ne trouvais pas ce putain d'interrupteur. Mes mains parcouraient les murs avec frénésie. Je faisais de la brasse à la verticale. « Arrête-toi, maintenant, Léon ! » C'était la voix de la raison qui vient avec l'âge : vertiges et sensations nouvelles, une voix jeune et claire que je n'avais jamais entendue avant, et elle s'imposa à moi tout naturellement. « Arrête, Léon, calme-toi, respire tranquillement. » Pas facile d'écouter la voix de la raison, mais je parvins à me calmer. « Maintenant, allume. » Ma main se dirigea vers l'interrupteur comme si j'avais toujours su qu'il était là.

Clarence était assise par terre au pied du lit, le dos au matelas, complètement nue. Devant elle, il y avait une vingtaine de Barbies empilées les unes par-dessus les autres, complètement nues elles aussi. Les yeux de Clarence bougeaient très vite et son cœur battait à tout rompre. J'avais l'impression que je pouvais le voir à travers sa peau. Son corps, lui, demeurait immobile comme un Mayol au bord d'une fontaine. Dans ses mains, elle tenait serrée l'icône manquante de la chambre des parents. Ce n'était pas la peur qui se lisait dans ses yeux, non, c'était la terreur, celle qui se trouve à l'orée de la folie. Je fis un pas vers Clarence.

— N'approchez pas, n'approchez plus jamais.

C'était le genre de ton qui faisait réfléchir et qui m'imposa l'immobilité absolue. Une grande lassitude m'enveloppa. Il y avait des siècles que je n'avais pas fermé l'œil de la nuit. Pourquoi me fallait-il, si jeune, ressentir une fatigue réservée aux mourants ? Je me suis effondré devant Clarence, le visage couvert de larmes. Voilà tout ce que je pouvais lui offrir, des larmes d'enfant mal aimé, des larmes parce que tout le monde s'en foutait. Ce qu'elle voulait, elle, c'était que Superman la prenne par la main pour l'emmener pique-niquer sur Krypton avec des tartines au miel. Moi, je n'étais qu'un enfant, issu de la très ordinaire race humaine, et pas foutu de léviter d'un millimètre.

— Qu'est-ce qui s'est passé, Clarence ?

Elle ne répondait pas. Ses yeux voyageaient de droite à gauche, comme si des monstres allaient surgir de toutes parts. «Chante, me dit la voix raisonnable, chante une chanson.» Merde, pis quoi encore ? Je ne savais pas chanter, je ne connaissais pas de chanson. Mais la voix raisonnable insistait. Et puis, il y en avait une au moins que j'avais apprise parce que mon père la chantait.

Lundi matin, le roi, sa femme et le petit prince
Sont venus chez moi pour me serrer la pince
Mais comme j'étais pas là, là, là
Le petit prince a dit, dit, dit
Puisque c'est comme ça, nous reviendrons mardi.

J'ai chanté trois mois et demi. Les yeux de Clarence se sont calmés, même que je voyais des larmes s'accumuler au bord de ses paupières. Elles ne coulaient pas encore, mais c'était bon signe.

— Tu sais, Clarence, je continuerais bien à chanter, mais le roi a une ampoule au talon, la reine vomit au pied des arbres et le petit prince a la diarrhée…

Rien, elle ne disait rien. Elle regardait un coin du tapis. Alors, je me suis mis à rhabiller les Barbies. Tous leurs vêtements étaient éparpillés dans la chambre.

— Bon, alors, celle-là, c'est la midinette, deux de quotient, Gémeaux ascendant Scorpion. Son rêve, c'est de devenir ballerine. Regarde son joli tutu. Elle, la grande rousse, on va lui mettre la robe de mariée. Quand Ken va rentrer du golf, il va être sur le cul. La blonde, un rien l'habille, tu lui mets un rideau ou une nappe, ça lui va comme un gant, elle a le soleil sur la devanture, y a pas de justice. Oh! regarde la petite noire aux yeux verts. Elle veut devenir écrivaine dans les pages jaunes. C'est une artiste, ça se voit tout de suite. On va lui mettre des jeans avec un col roulé.

Je plaisantais gentiment, mais au fond j'avais la peur aux baskets. Si Clarence ne refaisait pas surface bientôt, j'allais péter les plombs, moi aussi.

— Elle, avec ses petits cheveux courts, on dira que c'est une plongeuse, comme Esther Williams. On lui mettra pas un bikini, il va prendre le bord au premier plongeon, on va lui empaqueter les nichons dans un une pièce de compétition toute épreuve. C'est beaucoup plus sûr, crois-en mon expérience.

Ça faisait au moins une heure que j'étais assis devant Clarence ; il me restait une seule Barbie à habiller. Mon moral était sur le point d'appareiller pour le triangle des Bermudes, la panique s'installait sur le gaillard d'avant et la chaloupe prenait l'eau.

— Celle-là, c'est la petite dernière, elle veut être maîtresse d'école, la pauvre. On va lui mettre un tailleur Coco Chanel, ils vont se foutre de sa gueule en troisième, mais on s'en balance, l'élégance avant tout.

— Non, elle veut pas être maîtresse d'école, elle veut être pilote d'hélicoptère, faut lui mettre des vêtements sport.

Clarence avait parlé : miracle, résurrection, fête nationale ! Un seul regard dans ses yeux et je sus tout de suite qu'elle était revenue parmi moi. Je me suis précipité dans ses bras. On s'est serrés tellement fort qu'on est devenus un, comme le Christ, Dieu et le Saint Esprit, plus la Sainte Vierge dans son icône, écrasée entre nous deux.

— Qu'est-ce qui s'est passé ?

— Ben, je voulais…

Elle n'arrivait pas à formuler.

— Tu voulais quoi, Clarence ?

— Je voulais… je voulais… je voulais juste jouer à la poupée, voilà. Seulement, j'y suis pas arrivée, parce que je sais pas comment.

Elle fondit en larmes.

— Tu comprends, Léon, j'aurais tant voulu jouer à la poupée. Au début, j'y suis arrivée un peu, puis après tout s'est mêlé dans ma tête, la porte s'est fermée, il y a eu du noir partout. Au-dessus de ma tête, il y avait un loup qui tournait en rond et qui cassait de la vaisselle.

Clarence arrêta là son récit et continua à pleurer tranquillement. Il était comme ça, le temps, en cette étrange journée du mois d'août. Je n'ai pas envie d'expliquer ce qui s'est passé dans le cœur de Clarence, mais je la comprenais plus que je me comprenais moi-même, j'aurais beau expliquer l'enfance jusqu'à la semaine des quatre jeudis, ça ne changerait rien, personne ne pourrait comprendre.

Clarence était allée faire un tour en enfer, un enfer qu'elle vivait tous les jours, mais qu'elle ne pouvait pas se permettre de ressentir au moment où ça se produisait parce qu'elle serait devenue folle. Alors, la peur accumulée sortait du placard dans les moments où elle avait elle-même créé le péril, comme entrer par effraction dans la maison des Dupré.

Clarence remit sa robe et sécha ses larmes. Elle en profita pour sécher son cœur aussi.

— Bon, on va camper toute la journée. Elle me fout le cafard, cette maison. Sur ces mots, elle sortit de la pièce avec son icône sous le bras.

— De toute façon, qu'est-ce que ça me fait ? J'en ai rien à faire des Barbies, ce sont des sottes sans cervelle.

123

Tout en parlant, chaque fois qu'elle passait devant un pot de fleurs, elle le faisait tomber par terre. La plupart du temps, il éclatait en mille miettes et la terre se répandait sur le carrelage. Si d'aventure il ne se cassait pas, Clarence le prenait à bout de bras et le lançait dans la cage d'escalier.

— Je suis pas normale, je suis une enfant et je ne sais même pas jouer à la poupée.

Elle tenait un pot de géranium en suspens dans les airs.

— Peut-être que les poupées, c'est pas ton genre, Clarence ?

— Faux.

Le géranium alla s'écraser sur un bahut en bois de rose.

— Les poupées, c'est tout à fait mon genre. Seulement, je n'y arrive pas. C'est comme s'il me manquait quelque chose, ils ont dû me lobotomiser dans mon sommeil.

— Te quoi ?

— Me lobotomiser. Ça veut dire enlever une partie du cerveau où se trouve un petit morceau de rien du tout mais qui est essentiel pour jouer à la poupée.

— Tu crois vraiment qu'ils ont fait une chose pareille ? Ça me semble excessif, et puis t'aurais une cicatrice.

— Ce n'est pas les cicatrices qui me manquent.

Cette fois-ci, un Dawn en cristal fut pulvérisé au pied de l'escalier.

— Je crois que tu fais une tempête dans un verre d'eau, Clarence.

— Et toi, Léon, à quoi tu joues ? Au cerf-volant ?

— Oui, ça m'arrive.

— Et quoi d'autre ?

— Ben, je sais pas, à plein de jeux.

— Comme quoi ? Donne-moi un exemple.

Elle me regardait dans les yeux comme si elle voulait me

faire avouer un crime épouvantable. Dans sa main droite, elle tenait un Lalique bleuté en verre de Venise.

— Comme quoi, comme euh… Et puis qu'est-ce que ça peut te foutre ?

— Moi ? Rien du tout.

Paf ! Le Lalique en plein dans le téléviseur. L'écran éclata avec bruit de court-circuit et petite fumée en accompagnement. Je commençais à avoir la trouille.

— Tu vois, Léon, on est des enfants et parfois il me semble qu'on a tendance à l'oublier.

— Mais de quoi tu parles, Clarence ?

— De quoi je parle ? De quoi je parle ? Je parle de la cachette, de la marelle, de la balle au mur, du patin à roulettes, du ballon chasseur, des billes, de la chasse aux papillons, des poupées Barbies, du service à thé en plastique ! Tu vois ce que je veux dire ou il faut que je te fasse un dessin ? Des jeux d'enfants, c'est pas compliqué, merde. Qu'est-ce qui nous arrive, Léon ?

J'avais pas envie de pleurer parce que je venais juste de le faire ; sinon, j'aurais trouvé que c'était un bon moment. Alors j'ai soupiré.

— Je sais pas, Clarence, c'est probablement la température.

Le soleil inondait la bibliothèque et lui donnait un air de chapelle touchée temporairement par la grâce. La lumière du matin peut être parfois aussi merveilleuse que le commencement du monde. Il aurait suffi d'un nuage dans le ciel pour redonner à cette pièce son aspect premier : trop chargée, pseudo-intellectuelle, voulant refléter le savoir et la culture mais n'arrivant qu'à produire un effet lugubre, comme si les jésuites avaient eu des relations sur le tapis de Perse. D'ailleurs elles étaient là, bien en vue dans la bibliothèque, sur le premier rayon, et en six volumes, les *Relations* des jésuites. Ça ne m'étonnait pas. À croire que si cette bande de pédés n'avait pas existé, on serait resté dans l'ignorance, sans pouvoir distinguer un artichaut d'une courgette. Il est dommage que je n'aie pas eu envie de pisser, parce que je sens que j'aurais fait un carton.

— D'après toi, c'est ici que se trouve le magot ?

Clarence semblait douter.

— Peut-être que pour ouvrir les portes-patio, je manque un peu d'expérience, mais pour renifler le pognon, j'ai un pif de première classe, banc d'en avant, collé sur la maîtresse, avec des étoiles dans tous mes cahiers. Et je te dis qu'il est là tout près. Il demande qu'à se faire cueillir comme la rosée du matin un jour de Pâques.

Il y avait une chose qu'on ne pouvait pas manquer en regardant le décor : sur le bureau en chêne, au centre de la pièce, il y avait deux bustes sans visage qui portaient des bérets blancs. Ça ne pouvait pas être plus clair, et pour confirmer mes appréhensions, une pile de numéros de *Vers demain*, avec une photo encadrée de Yoland Guérard. Plus de doute possible. Nous étions bel et bien dans l'antre de l'ennemi.

Aucun des tiroirs du bureau n'était fermé à clé, à l'exception d'un seul, le plus gros, le dernier qui sert à classer les dossiers. Je sortis de ma poche mon gros tournevis jaune qui avait déjà contondé dans le patrimoine national en tuant une nature morte. C'était un outil efficace.

Le vieux chêne verni craqua avec une lamentation à briser le cœur d'un ébéniste. Tout le devant du tiroir s'arracha et s'ouvrit comme une femme violée qui ne résiste plus. Pauvre bureau en chêne du XVIIIe ! Il y avait eu tant d'amour dans sa fabrication laborieuse, tant de soins minutieux, et voilà qu'il avait perdu la moitié de sa valeur. Personnellement, j'aurais rasé la cathédrale de Chartres pour en faire un parking si cela avait pu empêcher qu'un seul enfant se pique le doigt avec l'aiguille où les riches tentent en vain de faire passer leurs chameaux. Pour la lèvre enflée de Clarence, j'aurais sacrifié Prague, Rome et Paris sans l'ombre d'un regret. Et j'en avais marre de souffrir.

Le tiroir contenait une série de dossiers en apparence d'aucun d'intérêt. En apparence seulement. Clarence sortit le premier dossier de la pile, dans lequel il y avait une feuille où étaient inscrits un nom et une adresse avec un chèque de douze dollars émis à l'ordre de *Vers Demain*. Abonnement. Double révélation. Non seulement les parents Dupré faisaient partie des Bérets blancs, mais c'étaient aussi des propagandistes, des fanatiques qui vendaient des abonnements à une revue débile. Si Clarence et moi avions eu un peu de conscience professionnelle, on n'aurait pas quitté les lieux sans mettre le feu à la baraque.

L'autre dossier était identique, mais il contenait de l'argent liquide accroché par un trombone en haut de la page. Quarante-deux dossiers plus loin, on avait cent quarante quatre dollars sur le bureau. Clarence jubilait. Son altercation avec les poupées Barbies s'éloignait. L'argent comptant, palpable, lui donnait une puissance extraordinaire et occultait sa frustration. Il y avait dans cette situation une tristesse incalculable ; il faut toujours se méfier des très grandes joies, comme celle de gagner à la loterie ou de trouver une valise pleine d'argent dans un fossé. Derrière cette joie, il y a un malheur qui s'approche. Si on avait fait chou blanc cette journée-là, dans la bibliothèque des Dupré, peut-être qu'on aurait eu la chance de comprendre qu'il était plus important de savoir parler aux poupées que de jouer le jeu de ceux qui ne savent pas. Mais entre les Bérets blancs et les *Relations* des jésuites, le diable avait fait sa niche. Quoi de plus naturel ?

On a quitté la maison des Dupré avec cent soixante-deux dollars en poche, ce qui représentait, à l'époque, une petite fortune. Clarence avait son icône sous le bras, elle refusait catégoriquement de me la montrer et nous avons pris le chemin du couvent des sœurs pour aller aux vieux.

Chapitre 13

Il n'était pas question de se faire repérer en pleine rue, surtout avec une icône sous le bras. Pourtant, l'envie était grande de quitter la chaleur tropicale des champs de maïs pour la petite brise qu'il devait y avoir au milieu de la route. Les couloirs, dans le maïs, étaient devenus autant de passages mystiques et nécessaires entre les événements. Nous passions d'un monde à l'autre dans une sorte de néant émotif créé par l'effet de répétition du décor. Même si on crevait de chaud, ça nous calmait les nerfs, et on en profitait pour ne pas se parler. C'était une accalmie appréciable dans laquelle nos esprits répétaient et amélioraient jusqu'à la perfection la série de mensonges qu'il nous faudrait débiter au sujet de notre absence.

En fait, je comprenais pourquoi les adultes avaient besoin de solitude. C'était uniquement pour parfaire leurs mensonges et examiner les multiples méandres de leur discours journaliers afin d'y repérer les contradictions qui pourraient les mener tout droit au flagrant délit. Les grands ermites, les moines chartreux, les bénédictins contemplatifs et autres n'étaient en réalité que de fieffés menteurs qui avaient compris, dès le départ, que pour éviter de mentir il fallait simplement fermer sa gueule. Il est clair que le mensonge est né avec la parole et qu'il est inutile de chasser la vérité avec le gros bâton vengeur de Sganarelle, car elle revient au grand galop quand le corps manifeste ses besoins physiologiques. Il fallut donc que je m'arrête pour faire caca. Je dus m'éloigner de Clarence d'au moins un demi-mille pour être sûr qu'elle n'entendrait ni ne sentirait quoi que ce soit. Superman, lui, ne fait pas caca, il ne pisse pas non plus, il sent toujours le Old Spice comme s'il venait de sortir de la douche juste avant d'arriver sur les lieux de la catastrophe. Il n'a pas besoin de prendre une feuille de blé d'Inde pour s'essuyer le fion, Superman n'a pas de fion du tout, une craque de fesses toute parfaite avec aucun trou dans le milieu, comme les GI Joes et les Barbies.

Je suis revenu vers Clarence les fesses serrées, je me sentais irrité, mal à l'aise, le fion en feu. Avec Clarence à mes côtés, il m'était difficile d'accepter ma condition d'humain. Je développais peu à peu une forme de racisme, pas pour les Noirs, les Jaunes, les Blancs ou les Magentas, non, je devenais raciste du genre humain. Il me semblait que l'homme ne possédait pas les qualités nécessaires pour accomplir ne fût-ce que son premier devoir : AIMER. En réalité, c'est tout ce qu'on lui demandait, à cet imbécile. Aime ton prochain et fais pas chier les autres. Clarence était ma prochaine et je l'aimais, seulement je n'arrivais pas à aimer les autres. Le sentiment que j'éprouvais pour cette fille prenait toute mon énergie. Je me sentais continuellement épuisé, presque au bord du désespoir.

Enfin l'hospice de vieux. Il était onze heures moins le quart. On n'était pas en avance sur notre programme et fallait pas traîner si on voulait arriver à tout faire.

Les vieux, c'est comme les légumes : chacun a son préféré et aussi celui qu'il déteste le plus. Moi, par exemple, on ne m'aurait pas fait bouffer un navet même avec un couteau sous la gorge, tandis que j'adorais les choux de Bruxelles, ce qui est très rare pour un enfant. Il est peut-être exagéré d'adorer un légume. Un enfant, par contre, ça peut adorer un vieux, même s'il est tout plissé. C'est peut-être là la grande différence. Bref, les choux de Bruxelles ne me posaient aucun problème. Quant à ma sœur Marguerite, si elle avait un chou de Bruxelles dans son assiette, elle se mettait à blanchir comme une feuille de cahier jusqu'à ce qu'elle se roule par terre. Elle était capable des pires ignominies pour empêcher l'affreux légume de pénétrer dans son estomac. Elle vous le refilait dans votre assiette quand vous aviez le dos tourné. Parfois, juste avant le dîner, elle tentait de vous soudoyer avec de l'argent, elle pouvait aller jusqu'à dix cents le chou mangé à sa place. Moi, je refusais tout le temps. C'était beaucoup plus amusant de la voir se pincer le nez en essayant d'en avaler un. Elle accompagnait sa déglutition de spasmes de dégoût, comme si le chou de Bruxelles se transformait en cours de route en vieux crapaud qui voulait à tout prix remonter à la surface. Le spectacle qu'elle donnait était de loin supérieur à tout ce qu'on pouvait voir à la télé, y compris *Sol et Gobelet*.

Comme pour les vieux, il y avait des légumes que j'adorais et d'autres que je ne pouvais pas sentir. C'était chimique. Du point de vue des qualités nutritives, le navet était comparable au chou de Bruxelles. Tous deux respectables, ayant fait la guerre (un peu plus le navet que les choux de Bruxelles). Pourtant je ne supportais pas le navet. Pour un légume, ce n'est pas trop grave, mais un vieux, ça peut vexer son amour-propre. Il faut faire attention à ne pas les vexer dans cette région parce que, de l'amour-propre quand on est vieux, c'est comme les dents, il ne nous en reste plus beaucoup. Il reste aux vieux de l'amour, sale comme du linge qu'ils ne lavent même pas en famille, de vieilles amours toutes moisies qu'ils cachent sous des piles de journaux et dans des albums de photos tellement craquelées que, si vous soufflez dessus, les chapeaux volent au vent et disparaissent dans la poussière du désert des chambres d'hospice. Saharas minuscules remplis à craquer de mirages absurdes où la solitude est si immense qu'il serait moins triste d'aller camper sur la lune ou de faire des ronds dans l'eau sur la mer Morte. Je savais tout ça sur les vieux. Et bien plus encore. Mais ça n'empêchait pas qu'il y en avait un que je ne pouvais pas blairer.

La veille, j'avais signifié à mon père que je comptais aller à l'hospice, en insistant fortement sur l'aspect charitable de l'entreprise qui ne manquerait pas de développer mon sens civique, sans compter les conversations enrichissantes que je ferais avec ces puits sans fond qu'étaient les vieux. On ne pouvait trouver activité plus bénéfique. Me serait-il possible dans les circonstances de ne pas rentrer à midi ? Mon père n'avait aucune confiance en moi, il se doutait bien qu'il y avait anguille sous roche, mais j'avais soigné ma présentation, en y faisant ressortir une humilité désintéressée, voire même le don de soi qui, de toute évidence, se rapprochait vigoureusement de la charité chrétienne. Papa ne pouvait que s'incliner.

C'est alors qu'il m'avait donné un chapelet que je devais remettre à mon grand-oncle Alphonse qui résidait à l'hospice depuis déjà quatre mois et que papa n'avait pas encore eu le temps d'aller saluer. Et la poutre dans mon œil ? Tu la vois ? Il était gonflé, tout de même. Le monde entier savait que papa détestait son oncle Alphonse, personnage répugnant, médecin spécialisé en urologie, sorte de touche-pipi pédophile qui avait fait de l'urine une profession pour assouvir ses instincts scatologiques. Le bon Dieu avait eu la décence de lui flanquer une thrombose qui lui avait paralysé le bas du corps. On avait dû le mettre à l'hospice à l'âge de soixante-deux ans. Il avait d'ailleurs perdu son droit de pratique pour avoir été pris par deux fois dans un réseau de pornographie infantile. On lui avait reproché aussi un attentat à la pudeur mais, on ne savait trop par quel hasard, l'oncle avait été disculpé. Pour moi, l'oncle

Alphonse faisait partie de la catégorie navet de l'âge d'or. Toujours une goutte de sueur qui dégoulinait de son front. Il se passait tout le temps la langue sur les lèvres. Plus dégoûtant que l'oncle Alphonse, tu meurs.

— T'es sûr que ça lui fera plaisir, un chapelet, papa ?

— Je ne pense pas, mais ça pourrait lui être utile. L'oncle Alphonse a bien des choses à se faire pardonner avant de passer l'arme à gauche.

Première nouvelle. Je ne savais même pas que l'oncle Alphonse était armé et qu'un chapelet pouvait servir à faire pardonner des choses avant de changer son fusil d'épaule. On en apprend tous les jours. Je me demandais pourquoi Clarence, la professionnelle en matière de religion, ne m'avait jamais parlé des chapelets. Quand on y pense ! Un gadget qui permet de se faire pardonner des choses sans l'aide de personne, juste en le tripotant : c'était essentiel pour mon genre de vie ! Le bûcheron a sa hache, le forgeron son enclume, le policier sa matraque, le coupable son chapelet. Ça tombait sous le sens.

Mais chez les vieux, y a pas que des saligauds. J'ai eu la chance de connaître le meilleur vieux du monde, de quoi vous réconcilier avec le Grand Naufrage. D'abord, il était sourd et muet, avantage considérable pour faire un bon vieux, parce que ce qui fait dégénérer prématurément les êtres humains, c'est l'épaisseur des couches de mensonge accumulées tout au long de l'existence. On appelle ça le poids des années et ça fait plier l'échine. Auguste Bellerose n'avait jamais entendu un mensonge et n'en avait jamais prononcé un non plus. Ainsi, il avait su conserver intacte une importante partie de son innocence. Ensuite, il était vieux garçon, autre immense avantage. Tout le monde sait qu'une femme peut vous faire vieillir de dix ans en une seule journée. Auguste n'en avait jamais connu une seule, sauf sa mère, qui était morte de pleurésie quand il avait trois ans. Bellerose était un véritable rescapé, un miracle ambulant. Il aurait pu vivre jusqu'à cent sept ans si la société n'avait pas décidé un jour de se pencher sur son cas.

Il vivait dans une vieille maison délabrée, au milieu du champ de betteraves de M. Patenaude. Une route de terre pleine de trous et droite comme un trait de crayon s'arrêtait tout juste au pied de sa véranda. Pour prendre cette route, il nous suffisait de bifurquer derrière les boîtes aux lettres et de traverser un petit pont de bois. On y allait toujours à bicyclette, à cause des chiens. Le vieux Bellerose possédait dix-huit chiens, dont seulement deux avaient des noms, ce qui était normal vu que lui, personnellement, il ne les appelait jamais à cause de la muettise. Je crois que ces noms avaient dû être donnés par d'autres enfants avant moi : il y avait Pépita et Vicieux. Mis à part Pépita, tous étaient enragés, fous furieux, et il était impératif, une fois le petit pont traversé, de pédaler comme des malades, de prendre assez d'élan pour mettre ses pieds sur le guidon au moment où la meute arriverait, pour éviter de se faire déchiqueter les espadrilles.

Une fois arrivés au couvent, on est directement allés voir la mère supérieure afin de lui signifier qu'on avait l'intention de passer l'après-midi à faire des visites dans les chambres pour égayer l'atmosphère. On chanterait : *Meunier tu dors, Auprès de ma blonde* et *Mon Beau Sapin.* Elle était ravie, et nous donna à chacun deux paparmanes roses. Ensuite au pas de course chez l'oncle Alphonse, qui nous a fait entrer immédiatement. Sa chambre puait le tabac et l'alcool à friction. Il a sorti un billet de vingt dollars, il voulait que Clarence s'assoie sur ses genoux. Je lui ai garoché son chapelet, Clarence a levé sa robe pour lui montrer sa culotte et on est ressortis aussi vite en riant aux larmes. Pour quitter le couvent sans être vus, on est passés par les cuisines.

Chapitre 14

Cette fois, pas de champ de blé d'Inde à traverser. Pas de couloirs mystiques où il fallait ruminer la vie et laisser le doute s'installer. Non. C'était les portes ouvertes sur un grand champ en friche avec des sous-bois, des collines et même un pâturage. L'Aventure et l'Inconnu. L'inconnu : quelle sensation délicieuse. Clarence disait que l'inconnu, c'était la quantité que l'on cherche pour la solution d'un problème, elle avait appris ça à l'école. Pour moi, c'était ce qu'on n'a pas encore éprouvé mais qui arrive à grands pas, comme une énorme vague quand on est à la mer. Le sentiment que quelque chose d'extraordinaire va se produire d'un moment à l'autre, quelque chose qu'on a longtemps désiré au plus profond de soi-même, comme si les rideaux du monde allaient tomber d'un seul coup sur une réalité nouvelle dans laquelle il n'y aurait pas de continent éloigné comme la Grèce, ni de rhum pour l'oncle Diego. Pourtant, rien ne se produisait, le mystère restait sur les choses, mais le sentiment ne cessait de grandir dans nos cœurs.

En route vers la rue de l'Anse, nous n'étions plus des enfants ordinaires qui se baladent dans la campagne. Nous étions devenus des êtres d'élite qui devaient compter sur leur courage et sur leur foi. Ainsi, mon canif devenait une arme bénie par les dieux de l'Olympe. Une branche d'érable avait des pouvoirs magiques et fabuleux. Derrière un rocher surgissaient des dragons qu'on pouvait pulvériser du regard. Nous étions à l'affût, sans cesse sur nos gardes, dans l'éventualité où notre imagination déciderait de faire apparaître une meute de loups enragés. Enfin, nous étions dans l'enfance, notre pouvoir était sur toute chose parce que l'esprit et le corps s'étaient, un moment, réconciliés. Le bonheur dans nos yeux était inexplicable et d'une intensité qu'un adulte n'aurait même pas pu imaginer dans ses rêves les plus fous.

Notre progression était lente. Le temps avait cessé d'agir. Je pouvais me pencher une éternité sur l'incroyable complexité d'un nid de fourmis, tandis que Clarence examinait avec une extrême attention la carcasse vide d'une libellule. Nous étions en parfaite symbiose, seuls dans nos mondes et pourtant soudés par un lien invisible que même un typhon n'aurait pu détruire. Cela dura une seconde, une minute, une heure, une journée, une saison ou une vie, je n'en sais rien. Une seule chose est certaine : dans le champ des Dalles, à l'extrémité du rang des Trembles qui mène à la rue de l'Anse, Clarence et moi avons été heureux d'un bonheur proche de la grâce.

Mais le bonheur ne vient jamais seul, il se fait toujours accompagner d'un fait divers. Sans doute parce qu'il est en réalité d'une telle insignifiance, d'une banalité si absolument banale qu'il est devenu trop timide pour sortir seul. Clarence poussa un petit cri rauque. Un nuage cacha le soleil, loin sur la gauche. Une gerboise se fit croquer par un épervier. La lune toute pâle dans le ciel de midi trembla à huit de l'échelle de Richter. Sans faire exprès, mon pied écrasa huit cent trente-quatre fourmis et en blessa trois cent quatre-vingt-six gravement.

— Qu'est-ce qu'il y a, Clarence ?

— Viens voir ce que j'ai trouvé.

J'espérais seulement que ce ne serait pas une vieille poupée abandonnée par une fillette inconsciente. Arrivé à la hauteur de Clarence, je la vis ouvrir ses mains délicatement. À l'intérieur, il y avait un petit oiseau à la mine bien basse. Il faisait des petits cui-cui sans conviction. C'était une mésange à tête noire qui avait l'air d'avoir traversé un ouragan dans les Bermudes.

— C'est pas la grande forme !

— Je crois qu'il est blessé. Peut-être qu'il a la leucémie.

— Les oiseaux n'ont pas la leucémie, Clarence.

— Qu'est ce que tu en sais ? Tu n'es pas vétérinaire !

Elle replaçait ses plumes comme une mère les cheveux de son enfant avant qu'il parte pour l'école.

— Ça va aller, mon petit oiseau, c'est pas grave. T'es juste un peu mêlé. Faut que tu te reposes. Je suis là, maintenant.

Il fallut transformer un morceau de la campagne en infirmerie générale. Branle-bas de combat. Clarence donnait des ordres comme un chirurgien avant une opération à cœur ouvert. Elle avait décidé de prendre la mésange sous son aile et de lui sauver la vie même si, pour ça, il aurait fallu un miracle.

— Il faut de l'eau, du foin sec pour lui faire un lit. Il faut aussi lui trouver un coin d'ombre, ou plutôt on va lui faire une cabane. Non, non, pas de cabane, si elle ne voit plus le ciel, ça va l'inquiéter.

Clarence posa son petit protégé sur un coussin de mousse entouré de foin et courut chercher de l'eau dans le fossé. J'en profitai pour faire un examen approfondi de la bête. En soulevant l'aile gauche, je constatai qu'il y avait un trou béant dans son flanc. Curieusement, pas une goutte de sang ne s'en échappait, mais on pouvait voir son cœur battre à travers une peau transparente comme un voile. Je remis la mésange dans son couffin en concluant qu'il fallait envisager le pire. Mais déjà Clarence revenait avec, au creux de sa main, un peu d'eau d'une couleur douteuse.

— C'est tout ce que j'ai pu trouver. Tu crois qu'il a soif ?

— C'est possible, peut-être aussi que c'est psychologique. Il fait probablement de la délectation morose, comme dit ma mère. On ferait mieux de le laisser seul. Sûrement qu'il a envie de pleurer mais qu'il n'ose pas parce que ça le gêne qu'on le regarde.

Clarence ne voulait rien savoir.

— Tu me prends pour une idiote ? Comme si les oiseaux faisaient des dépressions. Et puis ça pleure pas non plus, à cause de la morphologie. Je le sais, c'est mon frère que me l'a dit.

Alors, si elle sortait son frère du placard, il valait mieux renoncer tout de suite.

Ce n'était qu'une question de temps avant que Clarence ne se rende compte que la mésange à tête noire allait mourir, et que rien ne pourrait la sauver. Pour le moment, elle lui donnait à boire de petites gouttes d'eau avec l'extrémité d'une barrette à cheveux, un petit coup d'Extrême-Onction, pour la route, que je me disais. Je comprenais qu'il fallait changer de tactique. C'est comme ça quand on aime, il faut s'ajuster aux événements, savoir improviser.

— Tu sais, il paraît que quand on meurt notre âme monte au ciel pour aller directement au paradis parce que l'enfer n'existe pas. C'est prouvé.

— Pourquoi tu me dis ça ?

Clarence me regardait avec suspicion, il fallait de la précaution.

— Pour rien, ça m'est venu comme ça.

Elle continuait son goutte-à-goutte en infirmière dévouée.

— L'âme, Clarence, est immortelle. C'est quand même fantastique quand on y pense.

Cette fois-ci, elle me fusilla du regard.

— J'y pensais pas, justement.

138

Je savais qu'elle ne voulait pas que j'aille dans cette direction, mais il fallait continuer, il fallait trouver une soupape, une raison pour expliquer ce qui allait se produire.

— L'année passée, ma sœur m'a raconté que, dans son camp des Jeunesses musicales, le troisième violon s'est noyé dans le lac. Son canoë a chaviré en plein milieu et il n'est jamais remonté à la surface. Une tragédie. Alors, évidemment, le chef d'orchestre a appelé la police sous-marine pour qu'elle retrouve le corps. Ils sont arrivés avec tout leur équipement, des hommes-grenouilles sont descendus au fond du lac et ils ont ramené toutes sortes de choses : une vieille bicyclette, un pneu de voiture, de la vaisselle, même un morceau de machine à laver, mais pas de troisième violon. C'était la consternation générale, surtout pour la contrebasse qui était son meilleur ami. Le soir tombait. La police sous-marine s'apprêtait à abandonner les recherches quand ma sœur, qui était assise sur le quai avec sa flûte traversière, a vu une lueur phosphorescente sortir du lac et monter tout droit au ciel. Alors elle a crié : « Il est là, il est là ! ». Quelques secondes après, le corps du troisième violon faisait surface exactement là où ma sœur avait vu la lueur. Elle dit que c'était gros comme un ballon de soccer et aussi léger que de la mousse de pissenlit.

Si j'avais été une tringle à rideaux, Clarence ne m'aurait pas regardé différemment.

— Je sais pas où tu veux en venir avec ton ballon de soccer et tes pissenlits. Et je suis pas certaine que ça m'intéresse de le savoir.

— Je te parle de l'éternité, Clarence. Je dis simplement que la mort n'existe pas, c'est une illusion.

— La mort, une illusion ? Et mon cousin Marcel, alors ? J'étais là quand il est mort. Je n'ai pas vu de ballon monter au ciel, il y avait juste un pauvre garçon qui n'avait jamais fait de mal à personne, on l'a mis dans un trou avec de la terre par-dessus, tellement de terre que s'il avait décidé de revivre, eh ben! il serait mort quand même. Pour ce qui est de l'éternité, j'en sais rien. Chose certaine, ça fait une éternité que j'ai pas vu mon cousin Marcel. On peut pas dire grand-chose sur l'éternité, Léon, si ce n'est que l'éternité, ça dure longtemps, et moi j'ai pas de patience.

La mésange se mit à nous faire une petite rémission ridicule comme si elle pouvait prétendre aller mieux avec son gros trou dans le flanc. D'abord, l'oiseau fit trois petits cui-cui suivis d'un semblant de battement d'ailes qui ne réussit même pas à effrayer la mouche qui se promenait sur son dos. C'était pathétique mais suffisant pour que Clarence crie au miracle.

— Regarde, il va mieux! C'est incroyable, il va mieux! Il veut voler, c'est le ciel bleu qui lui manque, tu comprends? Léon, il n'est pas comme nous! Pour lui, la terre c'est comme un placard à balais! Il veut voler, faire des bonds entre les nuages, se poser sur la cime des arbres, il veut voir le monde d'en haut, alors que les hommes sont des fourmis qui ne peuvent que piétiner le sol et se déchirer les unes les autres.

Clarence tenait la mésange au bout de ses bras, les mains ouvertes.

— Va, vole et nous venge!

Mais la mésange ne regardait que l'horizon, cette chose prévisible qu'il y a au fond du paysage. Ses yeux fatigués ne pouvaient voir aussi loin.

— Je vais lui donner un élan, le projeter vers sa liberté. Tu te rends compte, Léon, nous serons avec l'oiseau, tout là-haut, on pourra voir par ses yeux, sentir le vent dans ses plumes et regarder le monde comme les aigles et les condors.

Clarence lança la mésange dans les airs comme une balle de base-ball. Pendant un court moment, je crus qu'elle s'envolerait. Ses ailes se déplièrent et se mirent à battre l'air avec l'énergie du désespoir, mais au moment où le miracle aurait dû se produire, les ailes se refermèrent comme des portes de voiture et l'oiseau fit un plongeon et alla se planter le bec dans la terre comme un piquet de tente. La fête était finie. Les yeux de Clarence devinrent des écluses qui s'ouvrent tranquillement sur une mer de désespoir. On aurait pu y faire flotter des pirogues et y noyer des orchestres symphoniques.

La mésange n'était pas morte, mais la souffrance et l'agonie l'enveloppaient de leur couverture glacée, le duvet de la mort. Clarence ramassa l'oiseau. Il y avait tant d'amour dans ses gestes, tant de douceur que je me suis mis à être jaloux. J'aurais aimé être cet oiseau et mourir dans le creux de sa main. J'étais parfois si fatigué... Encore une fois, la vie se retournait sans crier gare. Où était passé l'inépuisable bonheur que nous vivions un instant plus tôt? Fallait-il donc payer chaque petite joie avec des rivières de larmes?

— Il souffre, Léon. Je crois qu'il a la colonne vertébrale cassée.

— On ne peut plus rien pour lui, Clarence. Il va mourir.

— On peut encore abréger ses souffrances, je crois que c'est ça que ça veut dire, être humain.

C'est ainsi que, pour la première fois de sa vie, Clarence donna la mort. Avec ses longs doigts fins qui savaient dessiner des paradis dans le haut des pages de ses cahiers, elle ferma le bec de la mésange en même temps qu'elle boucha ses petites narines et maintint la pression pour empêcher l'oxygène de passer. La mésange raidit les pattes, bougea un peu les ailes comme pour se mettre à l'aise, puis elle mourut. Après cela, Clarence et moi, nous n'avons rien dit pendant une heure.

En fait, c'était Clarence, la silencieuse, moi, je ne faisais que me taire.

Chapitre 15

Cela avait tout l'air d'un chemin, mais on eût dit un four-reau d'ombres vertes bordé de vinaigriers monstrueux. Il n'y avait, évidemment, aucune indication qui mentionnait : « Rue de l'Anse, par là », mais on savait que ce passage obscur ne pouvait mener nulle part ailleurs. Nous étions à l'extrémité sud du rang des Trembles. L'anse se trouvait donc devant nous, de l'autre côté de cette chose innommable que l'on ne pouvait qualifier ni de forêt, ni de marécage, ni même de sous-bois. Une sorte de fouillis inquiétant. La nature ici avait fait le dé-sordre, un débarras végétal. L'homme ne comptait guère en ces lieux, pas même pour des prunes.

— Ça ne devrait pas être bien long à traverser, dix minutes maximum et nous serons au bord de la rivière.

J'avais pris la voix de Dick Tracy quand il doit poursuivre des bandits dans les égouts de la ville. Clarence la surfille, pour une fois, n'était pas rassurée.

— On dirait un os de baleine vidé de sa moelle. T'es sûr qu'il n'y a pas un autre chemin ? Ça me dit pas grand-chose de passer par là.

— Il faudrait revenir sur nos pas et prendre le rang du Ruisseau. On perdrait beaucoup moins de temps.

Je sortis mon canif de ma poche et dépliai la plus grosse lame. Elle faisait au moins deux pouces et demi.

— Qu'est-ce que tu crois faire avec ce truc ?

— Ben, c'est pour nous protéger contre les bêtes.

— Tu me ranges ça immédiatement ou je rentre à la maison. La dernière fois que tu as joué avec un couteau, il y a eu du sang partout.

Je savais qu'elle dirait ça. Déçu, je rangeai mon canif dans ma poche avant d'entrer dans le tunnel végétal. Absolument sans défense, uniquement muni d'un bâton et d'un gros caillou que je gardais bien serrés dans mes mains. Le sol était spongieux, une mousse juteuse qui faisait des bruits de succion. Au-dessus de nos têtes, la voûte de feuillage laissait le soleil pénétrer par petits fragments. Le sol était couvert de taches de lumière qui donnaient l'impression qu'on marchait sur le dos d'un léopard. On avançait doucement, comme au Musée de cire. La plus petite feuille, toute mince et délicate, plus légère qu'une plume de mésange, n'avait pas bougé d'un millimètre depuis mille ans. Le vent n'était jamais venu ici.

— Dis-donc, Léon, quand il est mort, l'oiseau, tu l'as vue la lueur ou pas ? Je te demande ça parce que moi, j'avais les yeux fermés.

C'était typique de Clarence, venir me parler de la mort quand nous étions dans le ventre du dragon.

— Je voulais pas t'en parler parce que je suis pas sûr. Ça se voit mieux la nuit et puis une âme d'oiseau, c'est pas plus gros qu'une tête d'épingle, mais il me semble bien avoir aperçu quelque chose qui ressemblait à une luciole qui se déplaçait très vite comme la fée Clochette dans *Peter Pan*. Mais je pourrais pas le jurer.

Je savais qu'elle ne croyait pas un mot de ce que je racontais mais elle ne fit aucun commentaire parce qu'au fond elle voulait croire. Bien sûr, Clarence croyait en Dieu. C'était même elle qui m'avait appris à prier et elle me disait souvent : « Une prière, Léon, ce n'est pas toujours demander. Il faut prier sans demander, prier pour prier sachant qu'il n'y aura rien en retour.» Le jour où elle m'a dit ça, j'ai compris tout de suite et je n'ai plus jamais prié de la même façon.

La foi de Clarence était bien plus grande que la mienne. Seulement, elle ne percevait pas, dans la vie, les manifestations divines. Jamais elle n'avait vu un miracle ou une chose surnaturelle, tandis que moi, j'en voyais tout le temps. Que ces perceptions aient été le pur produit de mon imagination n'avait aucune importance. L'effet était le même. Le Dieu de Clarence était celui de la catéchèse, celui de la Bible que sa grand-mère lui racontait. Mon Dieu à moi n'avait pas d'histoire, pas de passé, il n'avait pas créé l'univers en six jours, il n'avait pas crucifié son fils sur la croix, et pourtant je savais que Clarence et moi aimions le même Dieu. La foi est pleine d'optimisme parce qu'elle voit le chemin ; le doute, lui, est pessimiste parce qu'il l'ignore. Dans ce couloir mystérieux qui nous menait à la rue de l'Anse, nous étions balancés entre la crainte de ne pas être capables d'affronter l'inconnu et le bonheur des nouvelles découvertes que nous allions faire.

Je n'étais même pas étonné qu'elle arrive. La logique des événements est parfois horriblement prévisible. Depuis la mort de l'oiseau, l'impression que la peur allait surgir ne me quittait plus. Elle se dressa devant nous sous la forme d'un énorme danois noir tigré qui était assis au milieu du chemin à vingt mètres à peine. Il était tellement immobile qu'au début nous avons cru qu'il s'agissait d'une statue.

— Si c'est un bibelot, il est rudement bien réussi.

Clarence avait parlé dans un murmure d'enterrement. La peur nous envahissait par vagues successives : dans son immobilité, la bête était terrifiante. Mon esprit n'avait aucune emprise sur la situation, il ne s'acharnait qu'à mesurer la peur avec une précision aberrante. Ma tête était transformée en sismographe. Mais il n'y eut de tremblement véritable qu'au moment où le monstre bougea la tête très rapidement pour attraper une mouche. Sa mâchoire claqua dans le silence végétal, et la peur grimpa de trois degrés.

— Foutons le camp d'ici, murmura Clarence

— Surtout pas ! En trois coups de pattes, il est sur nous.

Clarence ne m'écoutait pas. Déjà elle se retournait pour partir. Le chien se mit à grogner et avança de quelques pas.

— Ne bouge plus, Clarence, il va charger.

Elle se changea en statue de marbre galvanisé.

— J'ai peur, Léon.

— Moi aussi, Clarence. Mais il faut désamorcer. Je connais les chiens. S'ils sentent qu'on a peur, alors ils se disent qu'on a quelque chose à se reprocher et on devient l'ennemi. Les chiens, c'est comme Dieu, on peut pas tricher.

— Mais on a des milliers de choses à se reprocher ! À ce compte-là, il va nous tailler en pièces ! Il faudra prendre des empreintes de nos gencives pour nous identifier.

Elle avait raison. Le danois prenait de l'assurance et avançait en grognant. Ses immenses molaires firent leur apparition dans un coin de bave. Il fallait réagir rapidement, je le savais. Mais mon esprit était paralysé : la peur montait à la vitesse d'un ascenseur, commençait à nous emballer les jambes dans du coton, elle barbouillait le ventre comme un enfant qui fait de la peinture avec ses doigts, et atteignait le cœur. Le danois commença à comprendre que nous étions terrorisés. J'entendis alors la voix de la raison qui répétait sans cesse : « Tic tac, toe, tic, tac, toe. » Elle était derrière le sismographe, mais je compris quand même son message.

— Écoute, Clarence, je crois que j'ai une solution. On s'assoit par terre et on joue au tic-tac-toe.

— Quoi ? T'es malade ?

— Écoute, on s'assoit par terre et on joue au tic-tac-toe dans le sable, point final.

On a fait vingt-deux parties. Au début, je répétais tout le temps : « Il faut se concentrer sur le jeu et oublier tout le reste. Tu comprends ? Plus on est concentré, plus on désamorce. » J'ai gagné les trois premières parties. Les dix-neuf autres furent pour Clarence. Je n'arrivais pas à comprendre son truc et j'avais l'impression d'être un idiot. Au bout de la dixième, Clarence riait aux larmes chaque fois qu'elle gagnait. Quand finalement on a levé les yeux pour regarder le chien, il était couché à côté de nous et avait entrepris une toilette compliquée et méticuleuse.

— On peut partir, maintenant, il n'y a plus de danger.

On s'est levés comme si de rien n'était et on a commencé à marcher. Alors, je me suis retourné, j'ai regardé le danois et j'ai dit : « Tu viens, le chien ? », et il nous a suivis en remuant la queue. Nous avions vaincu la peur, le chien le savait. De la faiblesse des victimes, nous étions passés au pouvoir des maîtres.

— T'es vraiment nul au tic-tac-toe.

— Peut-être, peut-être, que je disais en caressant l'énorme cou de l'animal.

Alors Clarence m'a embrassé sur la bouche et nous avons continué notre route en nous tenant par la main, moi sur un nuage, et Clarence sur la terre ferme pour empêcher que je parte au vent.

La peur, c'est comme une boîte de Prismacolor, il y en a de toutes les couleurs : la peur bleue, la peur du noir, on peut aussi devenir blanc comme un drap ou rouge de colère et il y a le péril jaune, mais pas dans nos régions. De toutes ces peurs, il y en avait une dont je ne connaissais pas la couleur mais qui me travaillait les méninges sans arrêt. C'était cet amour pour

147

Clarence qui ne cessait de grandir en moi, et j'avais peur, peur de finir étouffé, de m'effondrer sur le chemin et de mourir le cœur éclaté en mille miettes de pain pour les oiseaux.

Malgré mon jeune âge, j'étais conscient qu'il y avait en moi quelqu'un qui n'était jamais malade, jamais fatigué, qui ne commettait jamais le mal. Toutes les vérités, tout l'amour du monde, toutes les vies depuis la fourmi minuscule jusqu'à la grande baleine à bosse résidaient dans cet être intérieur. C'était la demeure de la beauté, de la justice, la voix de la raison et de mon effervescence spirituelle, la paix aussi, la paix qui surpasse toute connaissance. C'était dans la petite maison cachée de mon cœur que brillait une étoile dont la lumière n'a jamais été vue sur terre ni sur mer. Dans un coin du salon de cette maison, déposée sur une chaise berceuse, il y avait la cape magique du super-héros : il suffisait de la mettre sur ses épaules pour devenir invincible. Je savais tout cela. Et pourtant, je n'avais qu'à regarder Clarence du coin de l'œil pour savoir qu'elle pouvait, sans même lever le petit doigt, prendre mon cœur, le sortir de moi et l'enterrer au fond d'un jardin oublié. Ses paroles avaient la puissance d'une Kalashnikov, un mot pouvait faire un trou béant dans mon ventre. Il fallait que je sois complètement fou pour lui avoir laissé prendre autant de pouvoir sur moi. Je ne savais pas faire marche arrière, il y avait sûrement un levier quelque part, une manette qui renverse la vapeur, mais où ? C'était la grande question. En attendant, derrière cette lumière flamboyante de mon cœur, la peur n'en continuait pas moins de briller dans l'obscur. L'inquiétude tue les enfants, faut le savoir.

Le chemin tortueux avait perdu son aspect hostile, les vinaigriers étaient moins enchevêtrés, et de grandes taches de lumière venaient éclabousser des morceaux de campagne où poussaient en orgueil des fleurs de moutarde et des coquelicots géants.

148

— T'es bien silencieux, Léon ? À quoi penses-tu ? On dirait que tu as perdu tes billes.

Comment aurais-je pu jamais lui dire à quoi je pensais ? Il aurait été plus simple de lui expliquer la théorie de la relativité, les trous noirs dans l'espace ou la formation des étoiles.

— Je pensais à notre trésor. Tu t'imagines : bientôt on aura toutes les Bazooka qu'on veut et puis de la réglisse, des jujubes, des caramels et on fera la révolution dans la rue.

— Oui, ils viendront comme des mouches sur un jambon pour faire partie de notre société secrète, qu'elle répondit, rêveuse. Je serai la reine de la gomme baloune Bazooka, ha ! ha ! ha ! La reine Bazooka. Personne n'osera plus rire de moi.

La voix de Clarence n'avait aucune conviction, son rire était faux ; en fait on avait tout faux. Bien sûr, le trésor avait son importance mais, contrairement à ce que j'avais pensé au départ, la quête de la gomme baloune n'était pas la motivation première qui nous faisait franchir les obstacles. L'avait-elle jamais été ? Je me posais furieusement la question.

Même s'ils ne peuvent pas tout expliquer, cela ne signifie pas que les enfants n'arrivent pas à comprendre. Ce que nous allions chercher de l'autre côté de la rivière, c'était une chose mystérieuse, qu'on ne pouvait pas nommer. Je sentais que c'était grave comme quand l'évêque nous donne la gifle pour nous confirmer, paf ! on n'est plus le même, ça nous change d'un seul coup, ça nous réveille comme une claque dans la gueule. À ma confirmation, l'évêque m'avait manqué, il n'avait pas frappé assez fort, je n'avais rien senti du tout. Robert Couture, qui égratignait tout le monde et lançait des cailloux sur les voitures, lui, ça l'avait complètement transformé. Paf ! Il avait même eu un petit malaise quand, par la gifle, la grâce l'avait pénétré. C'est épuisant de devenir meilleur d'un seul coup ! Son père lui avait acheté une nouvelle bicyclette Fast Back 100, poignées Brando, siège banane, trois vitesses au plancher. Un bolide de rêve. J'espérais ardemment être touché par la grâce et devenir, paf! meilleur d'un seul coup. Robert Couture continua d'égratigner les autres mais il ne lança plus jamais de cailloux sur les voitures. Moi, je ne voulais pas de bicyclette neuve, je voulais juste cesser d'aimer Clarence avant de devenir fou et d'éclater en mille miettes de pain pour les oiseaux.

— Chut! Léon. Tais-toi. Arrête. Ne bouge plus et retiens le chien.

Je mis ma main sur l'énorme collier de cuir du danois et le fis asseoir.

— Reste tranquille, le chien.

Il m'écoutait comme si nous avions gardé les chèvres ensemble. Je savais maintenant qu'il n'avait jamais eu l'intention de nous faire le moindre mal.

— Qu'est-ce qu'il y a, Clarence?

— Tais-toi et écoute.

Alors, Clarence, moi et le chien, on s'est mis à écouter. Au début, c'était surtout le roucoulement plaintif d'une tourterelle qui traînait son chagrin. Puis une paruline masquée comme Zorro vint s'en mêler avec des cui-cui de sottises, accompagnée par les bruyantes vocalises d'une corneille noire.

— J'entends rien de spécial, Clarence.

— Écoute, je te dis, c'est plus loin, ça vient du fond à gauche.

Alors, Clarence, moi et le chien, on a réécouté plus loin, au fond à gauche.

Délivrance. Tout de suite j'ai pensé au film *Délivrance*, quand Burt Reynolds impose le silence à son copain pour qu'il écoute les bruits étouffés de la rivière, cachée derrière les arbres. Bruits profonds de remous s'engloutissant sur eux-mêmes. Léviathan se retournait dans son rêve, c'était la rivière Richelieu, nous étions arrivés.

Chapitre 16

La forêt s'était engourdie, les oiseaux ne chantaient plus, le chien ne cessait de regarder partout. Parfois, il s'immobilisait, ses oreilles se dressaient pour écouter le silence. Puis il partait d'un bond dans la forêt, on l'entendait fourrager dans les buissons avant qu'il ne réapparaisse sur le chemin, tout excité. À un moment, Clarence jura avoir entendu des ricanements venus de la droite, derrière une touffe de fusains sauvages, elle voulait que j'aille voir, moi je n'y tenais pas. Alors, je n'y suis pas allé. On a marché bien au milieu du sentier, à la file indienne. J'étais devant avec un gros caillou dans la main, Clarence suivait avec le chien et un bâton pointu. Le carrefour du chemin du Roi et de la rue de l'Anse était tout près maintenant. On entendait les voitures passer à toute vitesse, c'était la fameuse départementale de la mort, la route interdite. Une fois cette route traversée, on se trouvait en infraction permanente : elle avait le don de créer une névrose collective dès qu'on y faisait allusion. Crever les yeux du voisin n'aurait pas été plus grave.

— Léon, je suis pas rassurée, il y a du monde qui nous espionne. Je sens des yeux posés sur moi.

Clarence marchait le dos voûté en regardant son ombre derrière elle.

— T'en fais pas, t'as bien caché l'argent, au moins ?

151

— Il est dans ma culotte. D'ailleurs, j'aimerais bien le sortir de là, ça commence à m'irriter.

— C'est pas le moment.

— Si j'ai une grosse peur imprévisible, on sera peut-être obligés de faire sécher les billets sur une corde à linge. Tout à l'heure, avec le chien, j'ai bien failli...

— On s'en fout, Clarence, l'argent n'a pas d'odeur !

— Tu sais, Léon...

— Quoi ?

— Je crois que j'ai envie de rentrer à la maison, tout à coup.

— Moi aussi, Clarence, mais on va continuer quand même. On est pas venus jusqu'ici pour faire demi-tour.

Depuis un moment déjà, le sentier décrivait une large courbe. S'il avait été droit, il y avait longtemps qu'on serait arrivés. Mais comme dans la vie les chemins ne sont jamais droits, il y a toujours des détours. Ils sont là pour mettre à l'épreuve la foi du pèlerin, pour que s'installe le doute. Sans le doute, il n'y aurait que des certitudes et alors l'existence ne comporterait aucun intérêt. Le mot foi n'existerait même pas et je crois que la race humaine se serait autogénocidée au troisième jour de sa création. Sans le doute, l'humanité ne finissait pas la semaine.

— Tu sais, Léon, on commence à être pas mal loin de la maison.

— Faut pas t'inquiéter, Clarence. Tu te fais du souci pour rien. De quoi as-tu peur ? King Kong, on l'aurait entendu venir. Le comte Dracula, éliminé : il ne sort que les nuits de pleine lune. Des loups, ça fait vingt ans qu'il n'y en a plus dans notre région. Godzilla ne fréquente que les grandes villes japonaises. Et le Yéti vit dans les montagnes. Non, franchement, Clarence, le coin est sûr.

— Peut-être, mais moi, je ne suis pas rassurée. C'est dans cet état d'esprit que nous avons fait notre première rencontre. Il y avait déjà un moment qu'on se préparait mentalement à l'apparition d'un autochtone, mais rien, absolument rien n'aurait pu nous préparer à ça : l'être le plus inoffensif de toute la terre nous fit comprendre en un instant l'intensité que pouvait atteindre la terreur. De toute ma vie, je n'avais rencontré une personne comme lui.

Si le chemin avait été droit, tel le sillon de labour dans le champ d'Abel... alors peut-être. Mais c'était impossible, il y avait la courbe, le détour, l'accident de terrain faisant passer le chemin aux abords de l'inconnu. Là, tranquillement, Bénédict nous attendait. Au début, c'était loin. On ne distinguait pas grand-chose : un objet bizarre au milieu du chemin, un cube en carton, un coffre à la rigueur.

— C'est drôle, on dirait qu'il y a une boîte au milieu du chemin.

— C'est pas une boîte, c'est un pousse-pousse chinois. Regarde, il y a des roues de bicyclette de chaque côté.

Clarence stoppa net et devint blanche comme un nuage.

— Léon, il y a quelqu'un à l'intérieur de la boîte, on dirait un bébé avec une grosse tête pleine de cheveux. C'est pas normal, on rentre à la maison.

Non, ce n'était pas normal. D'ailleurs, plus on avançait et moins ce qu'on voyait n'avait de sens. Habituellement, quand on se rapproche de quelque chose, on arrive peu à peu à l'analyser. On finit pas dire : ah! c'est une caisse en bois qui ressemble à un pousse-pousse avec un bébé à l'intérieur. Pas plus compliqué. Mais dans le cas présent, le contraire se produisait. Même à deux mètres de la chose, cela persistait à n'avoir aucun sens. Il y avait quelqu'un à l'intérieur de la caisse, pas de doute là-dessus. Même qu'il nous regardait. Ce n'était pas un bébé. Un adulte ? Impossible puisque la caisse était trop petite pour contenir un corps, à moins que dessous il n'y ait eu un trou creusé dans le sol, pour les jambes. Mais, dans ce cas, on n'aurait pas pu voir l'espace vide entre le sol et la boîte. Il y avait autre chose qui me tracassait. La caisse n'était pas assez large pour contenir des bras, ou alors la personne les tenait cachés derrière le dos. Mais quand on cache ses bras derrière le dos, les épaules ont tendance à ressortir vers l'avant. Ce n'était pas le cas. La chose sortait sa langue et la passait sur ses lèvres comme un lézard l'aurait fait, c'était la langue la plus longue que j'avais jamais vue de ma vie.

À cause des cheveux qui pendaient de chaque côté de la boîte, ç'aurait pu être une fille. Mais quelque chose me disait que c'était un garçon. On était maintenant à un mètre et on ne comprenait toujours pas, il y avait un non-sens, ce qu'on voyait ne pouvait exister.

— Bonjour, je m'appelle Bénédict. Je vois que vous avez déjà fait la connaissance de mon chien. Il s'appelle Nabab, le Grand Vizir. Avant d'être un chien, il était membre du conseil des califes dans le très grand empire ottoman. C'était un vizir cruel, alors il est revenu sur la terre pour être un chien serviable, affectueux et volontaire. Vous, vous êtes qui ?

Sa voix était douce et mélodieuse comme celle qui raconte la vie des animaux à la télé. Clarence le regardait sans rien dire, paralysée jusqu'aux orteils.

— Moi, je m'appelle Léon, et elle, c'est Clarence. On est venus vous demander si vous pouviez nous emmener jusqu'à Saint-Charles dans votre bateau. Si c'est possible… On veut pas vous déranger.

— Tout est possible quand on veut vraiment quelque chose.

On était là devant lui à parler comme si de rien n'était,

mais ça continuait à n'avoir aucun sens, comme la folie. Tout d'un coup, Clarence sortit de sa léthargie et prononça la seule phrase possible.

— Où sont vos jambes et vos bras?

Bénédict nous regarda longuement avec ses grands yeux verts de jeune fille. Le chien Nabab tournait furieusement autour de la boîte pour attraper des mouches. Ses dents claquaient dans le silence, le temps passait comme une comète qui va s'écraser sur la terre, puis Bénédict parla :

— Je n'en ai pas, dit-il simplement.

Avant de s'effondrer, Clarence murmura entre ses lèvres : « La leucémie! » Sa jambe droite s'agita bizarrement et, comme les filles au cinéma, elle tomba par terre, évanouie.

Je trouvais qu'elle en faisait trop.

Elle refit surface quelques secondes plus tard. De petits cailloux étaient collés sur sa joue. J'étais fier d'elle parce qu'après un évanouissement, elle était toujours très jolie, comme si elle venait de faire la sieste.

— Ça lui arrive souvent? demanda Bénédict, inquiet.

— Penses-tu, elle veut se faire remarquer, c'est tout. D'ailleurs, elle va déjà beaucoup mieux. N'est-ce pas, Clarence?

Je lui tirai le bras pour la remettre debout.

— Je suis désolé de t'avoir fait peur, déclara Bénédict. Il ne faut pas vous inquiéter, je suis né comme ça. C'est génétique. Ma mère est exactement pareille. En réalité, je me porte très bien. Je t'assure. Et je n'ai aucune maladie mortelle.

Clarence n'arrivait pas à assimiler qu'il était un enfant-tronc. Je ne dis pas que moi-même j'acceptais la chose, mais Bénédict semblait trouver cela tellement naturel que j'ai cru convenable d'adopter son attitude : genre, on fait semblant de rien. Il était tronc, et après? On n'allait pas en faire une histoire. En revanche, il avait de beaux cheveux longs et des yeux verts si doux qu'on avait envie de plonger à l'intérieur. Un regard magnétique qui vous aspire dans les profondeurs de l'amour. Sur la croix, Jésus devait avoir le même regard sur les hommes quand il dit : « Pardonnez-leur car ils ne savent pas ce qu'ils font. »

Je pensais que, si Bénédict avait été Jésus à l'époque, Ponce Pilate aurait eu des problèmes à faire respecter les traditions. Il aurait fallu qu'il le crucifie dans le front. D'un autre côté, si Jésus était revenu sur terre, il n'est pas exagéré de penser qu'il aurait pu être humble et démuni comme Bénédict. C'est mon opinion.

Clarence, qui était lente à voir les miracles, persistait, incrédule. Elle demanda :

— Mais alors, comment tu fais pour mang… ?

Bénédict lui coupa la parole et lui répondit brutalement :

— Ne me pose jamais une question qui commence par « Comment tu fais pour ? ». Je ne fais rien pour. On le fait pour moi. Y'a pas de secret. Je n'ai pas de bras et pas de jambes. Pas même un moignon sur lequel je pourrais installer une prothèse. Rien, t'entends ? Rien.

Il avait un peu crié vers la fin. Clarence se mit à pleurer. Bénédict se mordait les lèvres. Se mordre les lèvres, il pouvait le faire très bien, sans problèmes. Même qu'il avait de belles dents blanches et brillantes comme de la porcelaine chinoise. Mais il ne s'excusa pas. Alors, il fallut qu'on attende que Clarence ait fini de pleurer. Il voyait bien, Bénédict, que je supportais mal de la voir chialer. Elle pouvait s'évanouir aux quarts d'heure, ça ne me dérangeait pas. Mais voir de vraies larmes couler de ses yeux, ça me barbouillait l'estomac.

Le chien Nabab faisait une fixation sur les mouches.

— Qu'est-ce qu'il a, ton chien ? Il est complètement flippé avec les mouches. Il en a avalé au moins une centaine depuis tout à l'heure.

Bénédict me regarda comme si j'étais un demeuré à qui il aurait fallu expliquer les règlements du Monopoly.

— Il a été dressé pour ça, tu comprends ? Les mouches, les abeilles, les moustiques et surtout les taons peuvent me rendre fou en quelques minutes. Ils peuvent même me tuer. Nabab s'arrange pour nettoyer en permanence le périmètre de ma charrette. C'est son boulot.

Nabab avait développé une méthode fascinante. Il s'immobilisait, devenait un sphinx dans le désert et restait sans bouger des minutes entières, laissant les mouches venir à lui. Il y en avait qui se promenaient sur son museau et au bord de ses yeux. Mais le chien ne bougeait pas. Puis, d'un coup, sa mâchoire claquait dans tous les sens. Il lui arrivait d'attraper cinq ou six mouches à la fois. Il m'impressionnait énormément, le Grand Vizir.

De chaque côté de la boîte à savon de Bénédict, on avait vissé des rames de chaloupe. Dans son ensemble, le véhicule hybride ressemblait à la fois à un pousse-pousse chinois, un sulky de course et une pirogue de Venise. Bénédict avait le fessier posé sur des coussins de velours. Les parois de sa boîte étaient capitonnées de satin blanc comme l'intérieur d'un cercueil. Une charrette de roi mage. Un gros parapluie anglais, fixé à la boîte, le protégeait de la pluie et du soleil.

— Il est vraiment bien ton carrosse, que je dis sincèrement. Tout confort. Belle finition. Compact.

Bénédict était ravi que l'on parle de son engin.

— C'est mon oncle Tacha qui l'a construit. Tu vois les courroies de cuir qui sont là : c'est pour attacher le chien. Sur le plat, à toute vitesse, le vent dans le dos, on peut faire du quinze kilomètres heure. Tu sais, j'adore la vitesse. Ça vient du fait de mon immobilité, c'est ma mère qui dit ça. Elle aussi, c'est une passionnée de la vitesse. Quand elle était jeune, une fois, ils l'ont attachée à la proue du rapide Paris-Lyon. Un coup publicitaire pour le cirque Brentano. Le train a maintenu une moyenne de cent trente kilomètres à l'heure.

Mais de quoi il parlait ?

— Tu veux dire que ta mère s'est fait attacher à l'avant d'une locomotive ?

— Oui. Exactement. À cinquante centimètres de la voie ferrée.

— Je ne te crois pas. C'est impossible.

— Moi, je le crois.

C'était la voix de Clarence qui sortait des nuages tout à coup.

— C'était dans le journal avec une photo. Et même qu'ils ont fait un film !

Tout à fait remise, la reine Bazooka. Elle soutenait déjà Bénédict dans son délire, tandis que lui, encouragé, en rajoutait.

— Elle a déjà été boulet de canon aussi, si tu veux le savoir.

— Boulet de canon ? Ça veut dire quoi ?

— Elle était boulet de canon, c'est tout. Ils la mettaient dans le trou. Ensuite le canon tirait maman dans le filet de l'autre côté du chapiteau. Je n'étais pas né, mais je m'en souviens très bien.

— Et comment tu peux t'en souvenir puisque t'étais pas né ?

— Parce qu'on me l'a raconté. C'est bien suffisant.

— Moi, je le crois, déclara la sainte vierge.

Clarence regardait déjà Bénédict comme si c'était la chose la plus précieuse du monde.

J'eus un profond soupir de fatigue. Il faisait chaud. Si tout le monde croit tout le monde, alors je n'ai plus rien à dire. Attachez vos mamans sur des locomotives ou tirez-les à coups de canon. On va pas chipoter sur les détails.

— Comment ça se fait que t'es tout seul ? On t'a abandonné ?

Elle dégoulinait de compassion. Ses yeux jetaient mille lumières comme des navires en feu dans la nuit. Il ne manquait plus que l'âne et le bœuf. Clarence, qui ne croyait pas aux miracles, avait changé ses positions.

— En vérité, je ne suis pas tout seul. Mes cousins sont avec moi. On a envoyé le Vizir en éclaireur, mais c'est Damien qui vous a vus le premier. Vous étiez encore dans le champ des Dalles.

— Et ils sont où tes cousins ? que je demande, sans vouloir insister.

— Là, dans la forêt.

Je regardai la masse d'arbres qui nous encerclaient.

— La forêt, c'est grand. On peut être n'importe où, personne ne nous voit.

Bénédict rit de bon cœur.

— Pourtant, ils ne sont pas très bien cachés, c'est moi qui te le dis. Ma cousine Cheyenne, par exemple, je sais qu'elle est en ce moment derrière le gros érable rouge, juste là.

Je regardais l'arbre en question, intensément. Mais je ne voyais pas de cousine Cheyenne.

— Mon cousin Damien, c'est le plus facile à découvrir. Il est juste au-dessus de nos têtes, comme les oiseaux, toujours perché dans les hauteurs. Il dit qu'un jour il pourra voler. C'est possible, mais je ne pense pas.

Je regardais tout autour, mais je ne voyais rien que l'immense forêt et des morceaux de ciel. C'est Clarence qui le repéra la première. Depuis un moment, elle avait les yeux braqués au firmament comme si elle discutait avec l'ange Gabriel. J'ai suivi son regard et j'ai vu le cousin Damien. Comme Clarence, j'ai été frappé de paralysie contemplative tellement il était beau ; assis bien tranquille sur sa branche d'arbre, il nous regardait avec douceur. C'était l'image même de tous mes héros d'enfance : Thierry la Fronde, Peter Pan, Robin des Bois et Guillaume Tell. Mais surtout Peter Pan, parce qu'on le voyait enveloppé de soleil très haut dans son arbre, joyeux et insouciant, comme s'il venait de faire un croc-en-jambe au capitaine Crochet. Comment avait-il fait pour monter jusque-là ? Mystère. Ça ne semblait pas un arbre facile à grimper. Moi, je n'étais jamais monté aussi haut. Alice au pays des merveilles ne sortait plus de sa contemplation béate.

— Dis donc, Clarence, tu vas le regarder comme ça jusqu'à Noël, le cousin Damien ?

Elle se consumait à vue d'œil. C'était devenu une manie. Évidemment, quand Jésus-Christ et Peter Pan font irruption au milieu de votre idylle amoureuse, ça bouscule un tantinet la dynamique. Je me sentais chuter dans un grand gouffre de mélancolie. La conquête d'un cœur était une entreprise audacieuse, je m'en rendais compte.

Damien était trop haut pour qu'on puisse lui parler sans crier.

— Descends de ton arbre, cria Bénédict.

— D'ici, on voit tout le pays, répondit Damien. C'est grand, c'est immense, hurla-t-il.

— Est-ce qu'on voit la mer ? que je demandai en essayant de parler bien fort, comme un capitaine de bateau.

Peter Pan mit sa main en visière et regarda au-dessus des arbres.

— Bien sûr qu'on voit la mer sans difficulté. On n'a qu'à suivre le fleuve jusqu'en Gaspésie et on arrive droit dessus. C'est l'Atlantique, j'en suis sûr. Les vagues sont énormes.

Je m'en doutais un peu que c'était l'Atlantique. Il me prenait pour qui ? Je me demandais si, par hasard, il pouvait voir la Grèce. Mais je n'ai pas osé poser la question. Parce que, s'il avait dit oui, il aurait fallu monter voir. Pour être loyal envers ma mère, c'était obligé. Je trouvais pas ça prudent avant l'année prochaine.

— Tu crois que c'est assez haut pour voir des mésanges? demanda Clarence.

— Sûrement pas.

J'étais formel.

— Faut pas exagérer. C'est pas assez haut. Une mésange, Clarence, ça fait son nid au sommet des pins de Colombie ou des baobabs, si c'est une mésange africaine. Faut pas exagérer.

C'est à ce moment-là que ça s'est produit : une chose terrible et traumatisante pour tout le monde. Damien sauta de son arbre. Il tomba comme une pierre au milieu du chemin. L'impact fut si puissant que ses genoux écrasèrent son visage, son souffle se bloqua, il roula sur le côté. Son nez saignait abondamment. Le hurlement de Clarence déchira la forêt. Bénédict se mit à sautiller du bassin en répétant toujours la même chose : « Le con! Il a sauté, il a sauté! ».

La cousine Cheyenne est sortie de derrière son érable à toute vitesse. Une seconde après, elle était au chevet de son cousin.

— Respire! Prends de grandes respirations, imbécile! Tu t'es sûrement brisé une côte. Ne bouge pas!

Elle lui releva la tête, essuya son nez avec la manche de sa robe. Damien cracha du sang. Moi, j'étais tout étourdi. Alors, je me couchai brutalement par terre pour me reposer sans délai parce que j'étais trop fatigué. Quand je me suis réveillé, mes yeux se sont ouverts sur un visage de jeune fille qui ressemblait à une Indienne. Tout de suite, j'ai pensé à Géronimo, *La Flèche cassée*, la hache de guerre enterrée derrière le cabanon des Papageorges. Aurait-on déclenché les hostilités?

— Alors, ça va mieux ? Le malaise est passé ?

Mais de quoi elle parlait ? Je n'avais eu aucun petit malaise du tout.

— Tu t'es évanoui, dit Cheyenne. On peut dire que, dans le domaine, vous y allez fort, ta copine et toi.

— Je me suis pas évanoui. J'ai fait une petite sieste. C'est pas pareil.

Je ne comprenais pas pourquoi ce n'était plus le visage de Clarence que je voyais.

— Où est Clarence ?

— Elle est juste là, avec Damien et Bénédict.

Après un long moment de parfaite immobilité, Damien fut miraculeusement guéri, sans séquelles. Sauf un petit morceau de dent en moins, et pas plus gros que le bout d'une allumette. Sa chemise blanche était maculée de sang. Ça lui donnait des allures de gentilhomme qui revenait d'un duel à l'épée. S'il avait été un dieu du cinéma, Clarence ne l'aurait pas regardé différemment. J'étais pulvérisé. Qu'est-ce qu'il avait de plus que moi ? La réponse était simple. Tout. Il était beau, d'une beauté douloureuse, qui fait mal à regarder. Son sourire était l'expression de l'amour et de la lumière. Jamais dans ma vie, je ne pourrais sourire comme lui. Mon moral était en chute libre. Je n'avais aucune expérience de l'intolérable, mais il fallait faire face, se lever debout et vivre ce qu'il y avait à vivre, peu importe les moyens qu'il fallait prendre. Surtout éviter le plus possible de tomber dans les pommes. Ça faisait mauvais genre.

Ma tête était toujours sur les genoux de la cousine Cheyenne. Il suffisait que je la tourne un peu pour voir Clarence occupée à nettoyer les joues de Damien, couvertes de sang. Elle utilisait le mouchoir en dentelle que lui avait donné sa grand-mère. Elle humectait le tissu avec sa salive et le passait sur le visage de Damien. J'aurais vu un bûcheron décapiter à la hache un enfant de chœur que je n'aurais pas trouvé ça plus difficile à regarder. La cousine Cheyenne me dévisageait avec des yeux noirs comme des lacs profonds pour se noyer.

— Êtes-vous une Indienne?

— Non.

— Vous ressemblez à la femme de Géronimo.

— C'est possible, j'ai quatorze ans. Alors?

— Je peux vous dire un secret, mademoiselle?

— Oui, si tu veux.

— Vous promettez de le répéter jamais à personne?

— C'est promis.

— Eh bien, figurez-vous que je viens d'attraper la leucémie.

Chapitre 17

Il fallait continuer, moi qui criais à l'aventure en regardant des ciels d'acier, je n'avais plus la force de bouger le petit doigt. J'avais le goût d'une blessure grave mais pas mortelle, un accident de chasse, une balle de calibre vingt-deux qui viendrait m'arracher une partie de l'épaule gauche. Au début, sur mon visage, il n'y aurait qu'une expression de surprise, puis la douleur foudroyante me ferait tomber à genoux au milieu du chemin ; comme un flot de larmes, le sang viendrait se répandre dans la poussière du chemin. Peut-être, alors, Clarence se serait rendu compte que j'existais et aurait cessé de s'extasier en permanence devant cet individu, comme la fée Clochette devant Peter Pan.

C'était un mal de cœur où la nourriture n'avait rien à voir. J'étais loin de me douter que ce malaise allait me poursuivre si longtemps. Avoir su, à ce moment-là, je crois que j'aurais eu suffisamment de courage pour terminer mon existence sur-le-champ, avec une capsule de cyanure que j'avais planquée dans ma dent de sagesse qui n'était pas encore poussée.

Clarence et Damien marchaient devant nous, le bras gauche du garçon autour de ses fragiles épaules en porcelaine de Chine. Elle le supportait de toutes ses forces, parce que c'était lui le blessé, c'était lui dont le sang diluait la poussière du chemin. Cheyenne et moi marchions côte à côte, elle me tenait la main, mais ça n'avait aucune importance, le Grand Vizir attelé à la voiture de Bénédict fermait la marche. Son étrange passager chantait une chanson peu adéquate, compte tenu de son état civil :

Et je m'en vais clopin-clopant
Et je m'en vais, le cœur content.

Je m'arrêtai un instant et regardai Cheyenne dans les lacs profonds de ses yeux où dormaient des radeaux engloutis.

— Je crois que je vais aller vomir, j'ai mal au cœur.

Sans attendre sa réponse, je piquai un sprint vers la forêt. Camouflé dans les fougères, j'entrepris de me faire vomir. Étant donné la puissante nausée qui m'envahissait, je pensais que la chose serait facile. Pas du tout. Je dus pousser mon doigt profondément dans la gorge, et après un laborieux effort, je réussis à régurgiter un filament de bile mélangé avec des particules de Cherrios, mais je n'en suis pas sûr. Il m'aurait fallu un laboratoire avec microscope puissance quarante-huit pour en être certain.

Je compris clairement que je n'étais plus moi-même, je n'étais plus l'autre non plus, j'étais devenu un inconnu. Fou de jalousie, je découvrais un personnage terrifiant, caché au fond de moi depuis toujours et qui choisissait ce merdier de mois d'août pour faire sa première apparition officielle : « Salut ! C'est moi le nouveau, bonjour tout le monde ! » Il commençait a y avoir charge d'âmes à la cantine. D'abord le prédateur, le guerrier, celui qui pille les résidences privées, ensuite le menteur pathologique et schizophrène, puis le nouveau qui venait d'arriver, le jaloux, l'alcoolique de la souffrance. Et pour finir il y avait moi qui aimais Clarence, qui avais perdu ma mère dans les Dardanelles : soyons clairs.

La jalousie est un sentiment aussi puissant que l'amour, la peur ou la colère. Sauf que ça défigure autant de l'intérieur que de l'extérieur. Je n'osais même pas penser à mon âme qui avait sans doute pris l'apparence d'une vieille chaussure remplie de viande à chat en putréfaction. Si j'avais eu un miroir de poche sur moi et que je m'étais regardé dedans, je ne me serais pas reconnu. J'étais certain que mes yeux avaient changé de couleur et que mon nez s'était aplati, comme celui de Mélodie Cayan, qui était née au Niger parce qu'elle avait la peau noire comme le buffet du salon.

De retour sur le chemin, je vis Cheyenne qui m'attendait, assise sur une souche de tilleul couverte de pleurotes.

— Où sont les autres? que je demandai sans reconnaître le son de ma voix, qui s'était perchée comme une coupe de cristal au milieu d'un troupeau de bisons.

Cheyenne me regardait avec la pitié intolérable de ceux qui ne peuvent rien pour vous, comme à la télé quand le lion attrape l'antilope par le cou.

— Ne t'inquiète pas, ils sont partis devant.

— Il faut les rejoindre tout de suite.

J'étais au bord de l'hystérie. Je suis allé vomir à cause de ma leucémie, ce sont des effets secondaires. Elle pourrait m'attendre pendant mes effets secondaires!

— Je crois que tu te fais beaucoup de souci pour rien, détends-toi, ils ne sont pas loin.

De quoi je me mêle, que je pensais tout bas dans ma nouvelle personne inconnue et souffrante.

— Ça paraît que tu n'as jamais eu la leucémie avancée du troisième type. Si ma mère n'a pas trouvé un donneur universel avant la semaine prochaine, je suis mort.

Cheyenne ne réagissait pas. Comme si je venais de lui annoncer un rhume de cerveau, un orgelet, ou une verrue.

— Elle est partie en Grèce. Là-bas, il y a un pêcheur dans le détroit des Dardanelles qui est peut-être, je dis peut-être, un donneur universel. En attendant, je dois survivre, mais il ne faut pas le dire à Clarence, à cause de son cousin qui est déjà mort de la leucémie du premier type. Une petite leucémie de rien du tout, tu t'imagines, premier type, une maladie d'enfant de chœur. Eh bien, il est mort en trois semaines, tandis que moi avec mon troisième type, c'est un miracle si je suis encore vivant, alors ne me dis pas de ne pas me faire de souci.

Cheyenne ne disait plus rien, ça lui a zippé la crinière à l'indienne. Maintenant, elle savait que j'avais une maladie pire qu'une balle de fusil qui vous arrache l'épaule, une maladie qu'on rigole pas avec. Je n'avais plus besoin de m'effondrer dans une mare de sang, puisque j'étais un cadavre en sursis, un condamné à mort, sauf miracle.

— Tu comprends, Cheyenne, chaque minute que je vis, ça représente un mois complet pour une personne ordinaire. Ça fait ça, la leucémie du troisième type. Tout est en accéléré. La semaine prochaine, je serai probablement un vieillard comme le père Meunier, à qui il reste seulement une dent pour manger ses carottes bouillies.

Cheyenne marchait tranquillement, les mains derrière le dos, le regard en Amérique du Sud avec des peuplades inconnues.

— Je connais un raccourci. On arrivera avant les autres en passant par le cimetière. On les verra venir de loin et même on pourra les espionner, si tu veux.

J'étais d'accord. Cheyenne emprunta un petit sentier, et on s'enfonça dans un bois de bouleaux blancs, tous penchés, faisant la révérence. Je pensais à papa. Pas à mon père, il aurait été très fâché de me voir si loin de la maison, mon père. Non, je pensais à papa, j'imaginais sa peine d'avoir perdu maman, enfuie en Grèce, mon pauvre papa. Ses accidents de chasse à lui, c'était des bouteilles de whisky qui se brisaient en mille miettes dans son ventre. Je savais que papa et moi, nous avions la leucémie du troisième type. Souvent, le soir, dans mon lit, il me disait : « Tu sais, Léon, il n'y a rien de grave sur la terre à part de grafigner les autres. » Eh bien, papa et moi, c'était grave parce qu'on était extrêmement grafignés, au plus haut point de l'intérieur, et qu'il fallait sans doute vomir des milliers de Cherrios pour être guéris. Ça, je le savais.

— Nous arrivons à la route. Tout de suite après, c'est le cimetière. Il faut se dépêcher si on veut les surprendre.

Un petit frisson avant de traverser la fameuse route mortelle : je rêvais à un bolide qui serait passé à cent milles à l'heure, juste au moment où j'étais au milieu, mais il n'y avait pas un chat. Une route parfaitement déserte, même que j'ai vu une chenille la traverser sans se presser du tout. Vers la fin, j'ai quand même couru un peu, pour être sûr. J'avais l'air ridicule.

Le cimetière était l'endroit le plus étrange que j'avais vu de toute ma vie, depuis le début. D'abord, je n'ai rien compris, ça n'avait pas de sens. Encore une image qui ne se pouvait pas, comme Bénédict et le Grand Vizir. On a beau regarder, ce n'est pas possible, et pourtant c'est là.

Il faut peut-être préciser que nous sommes arrivés par derrière le cimetière, côté cour, ce qui prête davantage à confusion. Il y avait une clairière avec un gazon magnifique entretenu par un maniaque des greens de golf, et un peu partout dans cet espace vert, il y avait une centaine de baignoires en fonte, plantées en terre, à la verticale. Un champ de vieilles baignoires qui vous tournent le dos en montrant leurs fesses et leurs pattes rouillées. L'impression que les baignoires s'en allaient quelque part, toutes dans la même direction, mais que, enfoncées dans le gazon, elles ne pouvaient plus avancer.

— Qu'est-ce que c'est que cet endroit ? Pourquoi il y a des

baignoires qui poussent comme des tulipes ? Les gens sont bizarres par ici.

Cheyenne était vexée.

— Il faut les voir de l'autre côté, imbécile. C'est un cimetière d'animaux, il appartient à mon oncle et ça rapporte pas mal de fric par année, pour un truc bizarre.

Vu de face, c'était beaucoup plus intéressant. Les baignoires formaient des niches dans lesquelles il y avait des statues de saint François d'Assise ou bien de la Vierge Marie. J'en ai même vu une avec un gros Bouddha qui avait trop mangé. Toutes religions confondues. Autour des baignoires, il y avait des lumières de Noël : la nuit, ça devait donner une jolie ambiance. Chacun avait laissé libre cours à sa fantaisie, personnalisant sa baignoire au maximum. J'ai vu des mini Saint-Pierre-de-Rome, des petites-maisons-dans-la-prairie avec parterre de fleurs, un style pagode chinoise avec Confucius en plastique. À un endroit, il y avait une plaque de bronze où on avait gravé : « Il ne m'obéissait pas comme à son maître, il m'obéissait comme à son cerveau, repose en paix, mon brave Adrien. »

— C'est la tombe d'un cheval, me dit Cheyenne. Son maître l'aimait beaucoup.

— Ça doit être immense, un cercueil de cheval en merisier ?

— Ils ont seulement enterré la tête dans une caisse vide.

J'étais impressionné.

— Viens, j'ai quelque chose à te montrer.

Cheyenne m'emmena devant une baignoire que, si Elvis avait été un chien, je suis sûr qu'il en aurait eu une comme celle-là : l'intérieur était en tapis rouge mur à mur sur les côtés et partout. Un beau travail. Il y avait des photos encadrées qui représentaient un berger allemand dans toute sa splendeur, une manière de Rin Tin Tin en érection perpétuelle. Sur toutes les photos, on voyait son pénis, un gros bâton de rouge à lèvres sorti de son fourreau en duvet. Je ne pensais pas qu'un chien pouvait avoir un pénis aussi énorme. Cheyenne me confirma qu'il était une sorte de phénomène dans cette catégorie. Je n'avais aucun point de comparaison dans ma tête, alors je la crus sur parole, parce qu'il y avait photo à l'appui.

— Maintenant, ouvre bien tes yeux, qu'elle me dit.

Sa main descendit le long des épaules poreuses de la *Pietà* en albâtre, elle souleva la statue et juste sous les pieds d'un Jésus très fatigué, il y avait une jolie clé en argent. Elle brillait comme le sourire de l'escroc. Mauvais présage. La clé ouvrait une sorte de tabernacle qui ressemblait à un mini juke-box, jaune banane, avec des palmiers en relief. Elle en sortit un étui de cuir.

— Regarde, qu'elle me dit, en me tendant la chose.

Ses yeux se mirent à reluire étrangement. J'aurais pu faire ma raie dans ses yeux. Quand j'ouvris l'étui, je n'ai plus dit un mot : je regardais intensément et même à toute vitesse. Ce n'était pas le genre de photo qu'on regarde tranquille, comme un paysage. J'étais ennuyé parce que, comme toujours, je ne comprenais pas.

— Tu la regardes à l'envers, imbécile !

Cheyenne plaça la photo du bon côté, mais ça ne changeait rien, je ne comprenais pas. Il y avait une femme toute nue à quatre pattes. Le brave Rin Tin Tin était sur elle et poussait son rouge à lèvres dans ses fesses. Le chien était maintenu en position par une autre madame, elle aussi toute nue. Tout le monde regardait l'objectif avec un grand sourire, sauf le chien qui semblait préoccupé. Derrière, il y avait un décor de désert avec des dunes et peut-être un avion en panne, je dis peut-être parce que sur la photo on ne voyait que des dunes.

— Elle s'appelait Virginia Letendre et son chien, Rudolf.

Comme tu vois, ils étaient très liés. Au début, tout le monde croyait que c'était une sainte parce qu'elle passait son temps à la messe. Quand sa sœur est morte, elle a acheté Rudolf, il ne la quittait jamais. Un jour, le curé a refusé que Rudolf entre à l'église, elle n'y est plus jamais retournée. Tout le monde dans le village l'appelait Virginia Wolf. Elle a commencé à faire des photos porno avec son chien dans un petit studio, dans sa cave. Elle vendait tous ses clichés à une filière américaine, pour le marché de Chicago. Enfin, c'est ce qu'on raconte. Si tu as cinq dollars, tu peux me faire comme le chien fait à la dame.

— Mais qu'est-ce qu'il lui fait à la dame, exactement ?

— Mais d'où tu viens, d'une autre planète ? Je te dis que tu peux me faire ce que le chien fait à la femme sur la photo, si tu as cinq dollars, évidemment.

— Ça ne répond pas à ma question, je ne comprends pas ce qu'ils font.

Cheyenne était énervée, elle me regardait comme si j'étais un croûton de pain.

— Il la sodomise, il la pine par le fion, il lui rentre son pénis dans le cul, est-ce que c'est suffisamment clair ?

Ce qui était parfaitement clair, c'était qu'elle me tombait sur les nerfs, la squaw.

— Tu oublies quelque chose qui est impossible.

Cheyenne se planta devant moi et mit sa main sur mon pantalon, juste au milieu. J'étais en chute libre du vingt-cinquième étage, il faisait très chaud.

— Je ne suis pas un chien, c'est ça que tu oublies.

Je lui ai tourné le dos et je me suis mis à courir après un papillon très rare d'Amérique du Sud. Si Cheyenne me proposait de faire comme le chien, je n'osais même pas imaginer ce que l'autre Zorro allait faire à Clarence. J'étais inquiet et je sentais qu'il y avait complot. Alors je me suis mis à attendre.

Depuis un certain temps, c'était devenu chez moi une seconde nature : attendre Clarence. Caché derrière une baignoire où étaient enterrés des inséparables qui étaient morts en même temps dans un incendie de cuisine, je fixais le chemin, guettant son arrivée avec impatience. Toute cette histoire prenait des proportions considérables. Je voulais rentrer à la maison, tout oublier, mais j'étais pris dans un engrenage. Chaque fois que je pensais retourner à la maison, quelque chose arrivait pour m'en empêcher, comme dans les cauchemars quand on veut fuir le danger. Tout se passe au ralenti, on ne peut plus avancer, le danger nous rattrape, en rigolant, il nous regarde avec ses yeux méchants : « Tu ne vas pas assez vite, petit garçon, je vais te manger ! » J'avais peur et c'était grave, parce que nous étions dans la vie, pas dans un rêve. Une vie d'enfant, celle de Pinocchio, de la chèvre de monsieur Seguin qui cassait sa corde, du Petit Chaperon rouge et de Barbe bleue et celle aussi du Petit Prince qui doit mourir pour retourner chez lui. Cheyenne m'avait dit : « De quelle planète tu viens ? »

Il y avait des dunes derrière, mais pourquoi il faisait entrer son pénis dans les fesses de la dame, je ne comprenais pas. Et quand on ne comprend pas, le danger vous rattrape et vous mange tout cru comme de la chair à pâté.

Les cris venaient de la forêt, il y avait aussi le bruit d'un frottement furieux comme dans les westerns quand la diligence est poursuivie par des Indiens. Je pensais peut-être que Clarence était en danger et que mon heure était venue de mourir pour elle. Je pris mon courage avec une main et dans l'autre un gros bâton pointu. À l'instant où j'allais bondir hors de ma cachette en hurlant au meurtre, Bénédict et le Grand Vizir apparurent sur le chemin, ils dévalaient la petite côte qui mène au cimetière, comme s'ils avaient été poursuivis par une meute de loups enragés. Le garçon avait une branche dans la bouche et, avec des mouvements frénétiques de la tête, fouettait le dos du chien. L'animal courait tout droit vers une crise cardiaque, sa langue de danois aux proportions extraordinaires pendait de sa gueule. Il semblait n'avoir plus aucun contrôle sur cet organe charnu et mobile de son anatomie. Il me fallait conclure que les gens d'ici considéraient les animaux, et surtout les chiens, d'une inquiétante manière. Par une sorte de cri incroyablement aigu, Bénédict fit stopper le pousse-pousse devant l'entrée du cimetière.

L'enfant et la bête reprenaient leur souffle dans une immobilité inquiétante. La lumière du soleil passait à travers les feuilles d'un érable rouge, les taches d'ombre sur le pelage tigré du chien lui donnaient l'aspect d'un léopard à la génétique douteuse. L'enfant ne bougeait plus, ni la tête, ni les yeux, ni rien du tout. Si je ne l'avais pas vu vivant quelques secondes plus tôt, j'aurais été prêt à jurer sur la tête de Dieu qu'il était mort. Je me suis approché sans faire de bruit. À deux mètres du pousse-pousse, je me suis arrêté. Bénédict ne bougeait toujours pas, sa tête était penchée comme le cou cassé d'une poule, ses yeux ouverts à moitié ne laissaient voir que du blanc, pas de pupilles, pas de ronds bleus, pas de ciel d'azur.

Ça pourrait devenir agaçant si je disais que je ne comprenais pas ce qui arrivait, mais le fait était. Accroché à la paroi du pousse-pousse, il y avait un bidon de plastique relié à un tube. Eh bien, ce récipient se remplissait d'un liquide jaune à un rythme régulier et continu. Peut-être une sorte d'huile pour les essieux. Ou bien ? ou bien ? Je ne savais pas.

— Il pisse.

C'était la voix de Cheyenne. À quelques pas derrière moi, elle mâchonnait une fleur de carotte, le dos appuyé sur la baignoire d'un raton laveur apprivoisé, abattu parce qu'il avait mangé le doigt d'un bébé.

— Après une course avec le Vizir, il est tellement excité qu'il remplit sa bouteille d'un seul coup. Normalement, il sent rien quand il pisse. Ça se fait automatiquement. Il peut te parler et sa bouteille se remplit sans même qu'il s'en rende compte mais, après une course avec le chien, il semble qu'il ressente une sorte de jouissance comme s'il éjaculait.

— Comme si quoi ?

— Oh my God !

Cheyenne paraissait découragée.

— T'es vraiment une sorte de retardé mental dans ton genre.

— Je ne suis pas une sorte de rien du tout.

Elle m'énervait, elle me surénervait, l'Algonquine. Éjaculer, je savais pas, entrer le rouge à lèvres dans les fesses non plus, pisser dans une bouteille par un tube, pas davantage, des baignoires comme des poteaux dans la terre, des enfants-troncs ou d'autres qui sautent des arbres, des chiens qui attrapent des mouches comme boulot, tout ça je ne savais pas. Je me demandais si on n'avait pas changé de dimension, étions-nous toujours dans l'ère des Poissons ? Si je retourne à la maison, y aura-t-il une maison ? Ou alors, tout cela, c'était un monde qui n'avait jamais existé, et la réalité était devant moi tout autour, il n'y avait jamais eu d'avant, papa, maman, mon frère, mes sœurs, tout ça c'était un rêve comateux, les élucubrations d'un esprit malade. Une seule chose me rassurait un peu : sur mon épaule, il y avait toujours deux points de fil noir que, normalement, je devais me faire enlever par le docteur, la semaine d'après. Mais était-ce suffisant pour témoigner d'une réalité ? Un petit fil noir qui pendouille ?

— Je peux te montrer si tu veux ?

— Me montrer quoi ?

— Ben, éjaculer, imbécile !

— Ce sera long ?

— Ça dépend de toi, mais généralement, la première fois, c'est très rapide.

— Et qu'est-ce qu'il faut faire ?

— Avant tout, il faut baisser ton pantalon.

Elle était complètement flippée, la Cheyenne.

— Je ne ferai rien où il faut baisser son pantalon.

— Tu ne sais pas ce que tu manques.

— Je ne manque rien du tout.

Je commençais à avoir des soupçons sur éjaculer. Une fois, à l'école, durant le cours de gym, il fallait monter sur une grosse corde et aller toucher le drapeau rouge tout en haut. Au milieu du parcours, mon zizi est devenu dur comme de la roche. J'ai eu une sorte de vertige comme quand l'ascenseur arrête à l'étage. Je suis devenu très faible et j'ai glissé jusqu'en bas sans avoir pu toucher le drapeau. Le soir, quand j'ai regardé dans mon caleçon, c'était tout collé.

La bouteille de Bénédict était pleine à ras bord, et la pisse continuait à passer par le tuyau de plastique. Le liquide jaune se répandait par terre. Comme une petite rivière, il suivait un chemin compliqué, créant des méandres jusqu'à ce qu'il disparaisse dans le gazon. Je me suis mis à pleurer doucement, les larmes coulaient le long de mes joues, je ne pouvais plus les arrêter, j'étais comme Bénédict avec sa pisse, peut-être aussi que je ne savais même pas que je pleurais, un incontinent des larmes. Un jour, je jouerai au ballon en pleurant sans m'en rendre compte.

Clarence apparut au bout du chemin, seule, sans Damien. Marchant d'un pas volontaire, elle donnait des coups de pied sur des cailloux qui allaient frapper les baignoires de fonte. La tête baissée, je l'entendais marmonner, on eût dit des incantations barbouillées de colère. Au-dessus de sa tête, un énorme nuage noir la suivait. Le vent s'est levé d'un coup, le bon Dieu venait d'ouvrir la fenêtre. Des milliers de pissenlits perdirent leur duvet blanc, il neigeait dans la prairie.

Clarence fit halte à ma hauteur et regarda droit dans mes yeux mouillés :

— On y va, oui ou non ? Parce que j'aime autant te dire tout de suite qu'on n'est pas en avance sur notre horaire. Je sais pas si tu te souviens, mais au départ, on allait chercher des gommes balounes de l'autre côté de cette maudite rivière. Alors, sans vouloir te commander, mouche-toi et ramène ton cul parce que moi, je commence à en avoir jusque-là.

Bénédict ouvrit les yeux et regarda Clarence, étonné :

— Quelle mouche l'a piquée, celle-là ?

— Avec ton clébard dans la région, il n'y a pas de danger. Tu disais que ton oncle pouvait nous faire traverser, alors c'est le moment.

Elle n'était pas de bonne humeur, la fée Clochette.

— Et Peter Pan ? Où il est ? que je demande en vue d'obtenir une information générale utile à tout le monde.

Si elle avait eu des missiles dans les yeux, je n'aurais plus été qu'un cratère.

— Ne me parle plus de cet imbécile.

Nous avons repris la route en silence. Clarence marchait toute seule, devant, comme une orpheline. Le Grand Vizir, épuisé, suivait sans conviction. Bénédict, avec une voix de haute contre, se mit à chanter : « *Oh solitude, my sweetest choice.* » Il y avait dans son timbre clair une pureté incomparable, un miracle. Cependant, Clarence et moi, enfermés dans nos contradictions personnelles, ne pouvions apprécier à sa juste valeur l'incroyable maturité de cette voix. Il y a des fois où la bêtise nous empêche de vivre ce qui pourrait être un moment de grâce et de volupté proche de la perfection. Une neige de petits parachutes de dentelle affolés par la bourrasque, un ciel lourd de cumulus tels des chevaux qui chargent l'azur, des oiseaux inquiets qui fendent le ciel dans tous les sens, derrière nous un cimetière où repose en paix l'arche de Noé au grand complet, tout cela enveloppé par la voix pure et cristalline de Bénédict. Oui, à n'en pas douter, il y avait de la volupté dans l'air, mais Clarence et moi étions aveugles, sourds et muets. La nature humaine est ainsi, incapable de vivre le présent. Et nous jetons la poésie par les fenêtres comme de vieux mouchoirs.

— Alors elle t'a montré la photo, dis-moi, elle te l'a montrée ?

Damien avait surgi de nulle part. Il avait les cheveux mouillés et il respirait fort. Je me dis qu'au fond il n'était pas si beau.

— Oui, elle me l'a montrée.

— Alors, raconte, vous l'avez fait ?

Il était tout illuminé, le cousin. Ses lèvres rouge framboise semblaient avoir une vie propre, elles bougeaient sans cesse comme devant un éclair au chocolat en vitrine.

— Il n'y a rien à raconter, elle m'a montré la photo, et puis c'est tout.

— Tu n'avais même pas cinq dollars ? Moi, si tu veux, je te les donne, seulement c'est toi qui feras la dame sur la photo, et moi le chien.

Damien a sorti de sa poche un billet de banque. Je n'ai pas répondu à sa question, parce que ni les questions, ni les réponses, ni les mots prononcés ou même les idées suggérées ne se rendaient à mon cerveau. J'avais coupé les circuits. Damien pouvait me réciter *L'Apocalypse* ou les *Mémoires d'un âne*, aucune différence, je n'écoutais plus.

— Elle a voulu m'embrasser, ta copine. Mais je n'aime pas les filles.

Courir vers elle, la prendre par la main. Pareils à des mésanges africaines, nous envoler très haut au-dessus des petites misères et des grands mensonges, nous envoler pour toujours dans l'immensité, nous laisser porter par les vents jusqu'au fond du ciel. Mais les quelques pas qui me séparaient de Clarence paraissaient infranchissables ; il aurait fallu que je m'immobilise et que j'attende qu'elle fasse le tour de la terre pour me rejoindre par derrière. En traversant le petit pont pour atteindre la presqu'île, j'ai regardé par dessus le garde-fou. Il y avait un filet d'eau grisâtre et pollué qui coulait comme une maladie vénérienne, pus nauséabond, sécrétions venues des profondeurs terrestres. Deux crapets-soleil étaient morts, face à face, comme si tout au long de leur agonie, ils s'étaient regardés mourir. Celui de droite avait l'œil vitreux, mais il y subsistait encore de la méchanceté : « Nous sommes allés trop loin, imbécile ! »

Le chemin descendait en pente douce vers la rivière, nous sommes passés devant une grange en bois à moitié pourri, ses immenses portes étaient toutes grandes ouvertes. À l'intérieur, on voyait des centaines de banquettes de voiture empilées les unes sur les autres. Sur le mur du fond, arrachés à l'ombre par une tache indécente du soleil, une douzaine de vieux pianos fracassés gisaient dans des positions incompréhensibles. Des écorchés, des punis, des martyrisés sans commune mesure : un carnage instrumental. Je détournai les yeux parce que les pianos démolis, ça m'angoisse.

Clarence voulait boire un verre d'eau, Cheyenne nous conduisit alors devant une maison qui aurait pu être parfaitement normale si une grosse Cadillac noire n'avait pas défoncé la cuisine d'été. L'accident devait avoir eu lieu des années plus tôt, parce que la vigne recouvrait en partie le véhicule. Le coffre contenait des géraniums et des merry gold.

179

— C'est mon oncle qui s'est disputé avec ma mère. Il a défoncé sa cuisine avec la Cadillac de papa, ça fait déjà huit ans.

La mère de Cheyenne était complètement couverte de tatouages, pas un millimètre de peau n'avait été épargné. Elle nous les fit voir tant qu'on voulait, parce qu'avant c'était son métier de les faire voir. La scène la plus intéressante se trouvait sur son dos : une pêche à la baleine en haute mer, avec des lanceurs de harpon et un vieux bateau comme dans *Moby Dick*. Sur le bras gauche, un dragon chinois crachait du feu jusque dans son cou. Un troupeau d'éléphants, costumés pour la parade, avec des nacelles dorées sur le dos et des fakirs assis dedans, occupait son bras droit. Le dessin qui avait exigé le plus de travail et de souffrances était sur ses jambes. Pour bien comprendre la scène, il fallait qu'elle tienne les jambes bien collées, alors le dessin prenait toute sa signification : une chasse à courre, avec des cavaliers et une meute de chiens. La maman de Cheyenne déclara que nous étions trop jeunes pour voir où était caché le renard.

Clarence a bu son verre d'eau et nous avons dit bonjour à cette charmante dame qui avait tant souffert pour un art mineur, encore objet de préjugés. Bénédict, qui était resté devant la porte avec le Grand Vizir, nous cria qu'il fallait se dépêcher, l'oncle Tacha allait bientôt traverser la rivière pour récupérer ses vaches qui broutaient dans le pâturage du rang des épaves, de l'autre côté. Nous avons couru jusqu'à la berge. Les images de cet étrange domaine déferlèrent dans ma tête en accéléré comme au cinéma. Je me souviens d'un grand terrain où étaient stockés des chauffe-eau en grande quantité, peut-être deux ou trois cents, il y avait aussi des roulottes, des autobus et un vieux camion de pompier. Tous les véhicules étaient peints de couleurs vives et on pouvait lire en grosses lettres de fantaisie : Brentano Circus.

— Dis-moi, Bénédict, pourquoi il y a un poteau de téléphone avec une cabane dessus, on dirait un nid de faucons ?

— C'est l'observatoire de ma mère. Elle y passe six ou sept heures par jour, hiver comme été.

À la base du poteau il y avait un grand trou rempli de poudre blanche. Bénédict répondit avant que je ne lui pose la question :

— C'est de la chaux, tu comprends, c'est déjà assez compliqué de la grimper là-haut tous les jours, s'il fallait qu'on la descende chaque fois qu'elle veut aller aux toilettes, on n'en finirait plus. Il y a un trou dans le plancher de la cabane, Maman est assise dessus en permanence. Quand elle a envie, petit ou gros, pas de différence, elle se laisse aller, ça tombe dans la chaux. Quand mon oncle Tacha passe par là et que ça sent un peu fort, une petite pelletée de chaux et le tour est joué. C'est une bécosse géante.

Pourquoi je me serais étonné ? Ça tombait sous le sens. Pendant un moment, je ne pus quitter le trou des yeux, appréhendant un énorme caca qui viendrait s'écraser dans la farine ; rien ne se produisit.

La traversée dura cinq minutes. Arrivés à Saint-Charles, pendant que l'oncle Tacha embarquait ses bêtes, Clarence et moi sommes allés droit au dépanneur. On a acheté toutes les gommes balounes du magasin, trois boîtes de deux cents. Il nous resta assez d'argent pour trois cents boules noires, cent-dix-huit caramels, quatre-vingt-seize réglisses noires, cent douze réglisses rouges, quinze Aéros, dix-huit tablettes Mars, douze Coffee-Crisp, vingt-deux Caramilk et quarante boîtes de Cracker Jack. La dame du magasin voulait téléphoner à la police. Clarence réussit à la convaincre que c'était pour la kermesse du village. Elle ne nous crut pas vraiment, mais l'appât du gain fut plus fort que sa conscience : elle nous laissa partir. On sortit en traînant un énorme sac à poubelle rempli à craquer. Le traversier était chargé de bétail, au moins une bonne douzaine de vaches et trois taureaux. C'est au cours de la traversée de retour que la catastrophe est arrivée…

Chapitre 18

Il avait neigé sur le monde, tout était blanc, le ciel plus encore que la terre. L'horizon basculait dans l'infini, plus de contours, plus de formes. Si je m'étais penché pour creuser la neige, j'aurais peut-être découvert la terre noire du champ de M. Patenaude. Mais je ne le fis pas parce que c'était pas sûr qu'elle fût là. Je marchai longtemps. Aucune pensée précise ne prenait forme dans ma tête. Quand je fermais les yeux, je voyais des nuages comme des édredons géants. Chaque endroit donnait envie de se reposer, de se laisser couler dans la volupté et le confort. Je marchais sans but précis, il ne faisait ni froid ni chaud ni même tiède, il ne faisait rien sauf une odeur de vanille. J'ai pensé à la grande lumière blanche de la mort : si c'était ça mourir, il n'y avait pas de quoi en faire toute une histoire. Un peu comme avant de commencer un dessin, il y a la feuille blanche, mais au lieu d'être angoissé par le dessin qu'on va faire, on n'a qu'à regarder la feuille et on y voit tous les dessins qui y sont déjà. Des lapins blancs jouant dans la farine, des châteaux en grains de riz avec des soldats de plâtre, des prairies couvertes de lys sauvages où dorment de jeunes novices qui rêvent à Jésus.

Le fait de ne pas voir le grand bois, qui aurait dû se trouver quelque part sur la droite, ou les maisons, normalement à gauche, aurait dû me prévenir qu'il se passait quelque chose de bizarre. Mais je n'arrivais pas à attacher d'importance à ces anomalies du paysage. L'univers semblait résolu. Les problèmes, les énigmes, l'absurdité du décor, ma présence en ces lieux, tout paraissait naturel. Aucune raison de s'en faire, si ce n'est que mon cœur flottait léger comme un flocon de neige, moi qui avais l'habitude d'un rocher qui déboule de la montagne. Je n'allais pas m'en plaindre, mais tout de même il y avait anguille sous roche. Un pressentiment.

Je ne fus pas surpris lorsque je vis une fenêtre au milieu du champ, je savais que ça ne se pouvait pas, une fenêtre toute seule dans les airs, sans maison autour pour la retenir, c'était impossible. Je ne m'en suis pas formalisé pour autant. Rien ne pouvait plus me surprendre, mais je fus envahi par la curiosité. Déjà, le début de quelque chose, la curiosité. Je ne marchais plus au hasard, sans but précis ; j'allais à la fenêtre. Je trouvais que fenêtre, c'était le plus beau mot au monde de la langue française. Regarder par la fenêtre, une fenêtre sur le monde, jeter son argent par les fenêtres, comme disait papa. Il y avait aussi des fenêtres de lancement, quand le ciel se dégage pour laisser partir les fusées dans la lune. Et puis, quand il y a une fenêtre, ça signifie quelque chose à regarder, sinon elle ne serait pas là.

Je pouvais aller partout avec une aisance miraculeuse, je flottais. Mais, dès que je prenais la direction de la fenêtre, ça devenait laborieux ; mes pieds pesaient des tonnes de ciment, j'avais mal à la tête et je pensais que j'allais vomir à tout moment. Pourtant, il n'y avait rien d'autre à faire dans ce champ immense que d'aller à la fenêtre. J'ai vomi trois fois avant de pouvoir l'atteindre, les flaques de vomi verdâtre avec du marron dedans souillaient la neige, taches honteuses de mon passage. J'aurais tant voulu préserver la blancheur infinie du paysage. Pour une fois, ne pas laisser ma marque, ne pas créer de désordre, ne pas tout salir. L'odeur de vanille avait disparu pour laisser place à celle de la vomissure. Épuisé, je me suis accroché au rebord de la fenêtre comme un alpiniste à l'arête d'un rocher.

Je me hissai, tremblant de tout mon corps. M'attendant à voir le champ de M. Patenaude par le carreau, je fus étonné de découvrir un grand parking rempli de voitures, vingt mètres plus bas. Il y avait des gens qui couraient partout parce que, de l'autre côté de la fenêtre, il pleuvait à boire debout, des voitures arrivaient par vagues, d'autres sortaient de je ne sais où. Tout le monde avait l'air très très occupé. J'ai même vu une ambulance arriver à toute vitesse avec sa cerise rouge qui tournait, affolée, pour dire que c'était grave. Il y avait à l'entrée une arche de pierres où était écrit, en grosses lettres de bronze : HÔPITAL SAINTE-JUSTINE. À ce moment-là, j'ai entendu une voix, une voix de femme.

— Qu'est-ce que tu fais debout, il faut vite te remettre au lit.

Au début, à l'hôpital, j'étais seul dans ma chambre et la vie était très belle à cause des médicaments qui font flotter. Les draps, comme du papier, ne me piquaient pas du tout, les murs blancs, ça ne me dérangeait pas de les regarder pendant des heures tellement je les trouvais intéressants, avec des lapins qui jouent dans la farine. Fernande, l'une des infirmières, ressemblait à Brigitte Bardot, sans exagérer. Je lui disais toujours : pourquoi vous ne faites pas du cinéma ? Je suis devenu son préféré, c'était la seule dans tout le service de psychiatrie qui pouvait me donner une piqûre sans qu'on soit obligé de m'attacher avec les ceintures de cuir qui pendaient de chaque côté de mon lit. En règle générale, je coopérais avec le personnel de l'hôpital, sans faire d'histoire. Après ce qui s'était passé, il fallait que je me mette en veilleuse, me faire tout petit. J'ai même pensé à disparaître, parce que les disparus, on leur donne le bénéfice du doute, et moi c'est tout ce que je demandais dans la vie.

J'étais comme en vacances, jusqu'au jour où le Dr Jean entra dans ma chambre avec un grand sourire insoupçonnable que même un pro de la supercherie n'aurait pu détecter.

— Ce matin, Léon, on va faire un électroencéphalogramme.

À l'entendre parler, on aurait cru qu'il s'agissait d'un nouveau manège à Disney World. Moi, toujours prompt à la collaboration spontanée, je me précipitai en toute confiance, je lui pris la main comme si ç'avait été mon père, et en route pour la balade. L'ascenseur nous emmena jusqu'au huitième étage. Quand les portes s'ouvrirent, il y avait deux infirmiers qui nous attendaient. Un grand blond qui ressemblait à un silo à grain et un petit noir qui avait le blanc des yeux jaune comme du caca d'oie. La pièce ressemblait au laboratoire secret du Dr Moreau.

Ils m'ont tenu solidement sur une chaise pendant que Fernande, ma préférée des infirmières, devenue soudain la plus grande traîtresse SS du IIIe Reich au monde, m'entrait dans la tête des aiguilles reliées à des fils de toutes les couleurs, branchés sur une inquiétante machine. Après ça, le docteur commença à me montrer des dessins de papillons écrasés. Il fallait que je lui dise à quoi ça me faisait penser. Moi, je répétais toujours la même chose : « À un condominium en Floride. » Ça l'enrageait beaucoup, le docteur. Il disait que je ne coopérais pas comme du monde : il s'attendait à quoi, l'imbécile ? D'abord, avec tous ces fils plantés dans ma tête, je pensais qu'il pouvait voir à l'intérieur de mon cerveau, jusque dans les tiroirs cachés où il y avait des choses épouvantables qui ne concernaient personne, surtout pas moi.

Un jour, ils sont venus me déménager dans une autre chambre. Au lieu de m'emmener, moi tout seul, ils ont dit : « Reste dans ton lit ! » et ils ont déménagé le lit au complet. C'était génial. Ils m'ont roulé à travers tout le service de psychiatrie jusqu'à une grande porte grillagée : c'était l'aile spéciale pour les cas lourds. Un des gardes à sorti un trousseau de clés, il a ouvert trois serrures différentes. On a franchi la porte et le garde à tout reverrouillé derrière le lui. Je n'étais pas rassuré. Ils m'ont mis dans une chambre où il y avait déjà un autre garçon de mon âge, il ne parlait jamais. Toute la journée, il se mordait l'intérieur de la joue, jusqu'au sang, qu'il crachait ensuite sur son drap blanc. Ça faisait une grosse tache rouge, toujours au même endroit. Quand il était couché, j'avais l'impression qu'il avait reçu une balle de fusil dans le cœur.

La nuit, je pensais à Clarence, elle me disait des mots d'amour qui font pleurer des larmes de grandes personnes, lourdes et salées comme la mer des Caraïbes. Parfois, elle me soufflait à l'oreille : « Sauve-toi ! Sauve-toi vite, Léon, avant qu'il ne soit trop tard. Je t'attendrai au pied du bouleau, on ira en Chine. »

Deux fois par semaine, je devais rendre visite au docteur pour parler de ce qui s'était passé. C'était le seul moment où on me permettait de franchir la porte grillagée. On montait au huitième étage, j'aimais bien prendre l'ascenseur. Le bureau du docteur était confortable, mais il y régnait une atmosphère de naufrage. Sur le mur, au-dessus du divan, une toile qui représentait un bateau de pirate sérieusement compromis dans une tempête terrible. Les vagues étaient énormes, avec des crachats d'embruns, un bouillonnement d'écume et un ciel fou enragé, comme si le bon Dieu faisait sa crise. Au-dessus du bureau, une photo en noir et blanc sur laquelle le docteur tenait la main d'un enfant noir sous un palmier. Plus missionnaire que ça, tu meurs. Au centre de la pièce, une table ronde avec dessus tout un assortissement de pâte à modeler, rouge, bleue, blanche, verte, noire. Le docteur me demandait souvent de fabriquer des choses avec. Alors, moi, je prenais la pâte blanche, je tapais dessus de toutes mes forces, ensuite, je disais que c'était un goéland qui s'était écrasé.

Très tôt, j'en suis venu à la conclusion qu'il fallait m'évader coûte que coûte, et le plus vite possible, de cet hôpital. Le docteur, avec ses petites séances de torture, avait fini par creuser une brèche par laquelle s'échappaient clavecin, garde-robes, train électrique, pinces-monseigneur, tournevis, nature morte, et des choses encore bien pires qui ne portaient pas de nom : je trouvais inutile de leur en donner un.

Mais ce n'était pas là le plus grave. Mine de rien, par de nombreux détours, en passant par des chemins oubliés, en creusant des tunnels sous des artères principales, caché derrière un journal, fumant sa pipe d'écume de mer, le docteur voulait me faire avouer quelque chose d'inhumain, qui dépassait de loin tous les enfants morts de faim du Bangladesh, tous les massacres de villages du Viêt-nam, toutes les bombes au napalm, tous les camps de concentration allemands, quelque chose de tellement grave que j'aurais été obligé de mourir sur-le-champ sans préavis.

Le seul moment où il était possible d'envisager une évasion : lorsqu'on m'emmenait voir le Dr Jean pour mon interrogatoire de la gestapo. L'idée de fuir depuis l'aile spéciale des cas lourds devait être éliminée ; la porte grillagée était verrouillée en permanence avec un homme de faction qui regardait la télé, en permanence aussi. Il me fallait donc décider de tenter le coup ou bien en allant voir le docteur, ou bien au moment du retour à ma chambre. Pendant ce trajet, j'étais toujours accompagné par le silo à grain, individu peu commode qui devait courir aussi vite qu'un quart-arrière. J'avais usé de tout mon charme pour tenter de le séduire, de le mettre en confiance, mais les résultats étaient maigres. Un jour, il m'a donné la moitié de sa tablette de chocolat. Les autres enfants de l'aile spéciale des cas lourds étaient unanimes à dire qu'une telle marque d'amitié relevait du miracle pur et simple. Avec le temps, il a fini par m'accorder une certaine confiance, pour de petites choses du genre : « Attends-moi là, je vais chercher un café. » Souvent, en revenant de l'interrogatoire, on faisait un détour par la pouponnière. Le silo à grain était amoureux d'une infirmière vietnamienne haute comme trois McIntosh. Quand il l'embrassait, on avait l'impression qu'il attachait ses souliers. Moi, je faisais semblant de regarder les bébés à travers la vitre, pour ne pas le mettre mal à l'aise. Il appréciait beaucoup ma discrétion. Ça nous rapprochait. Je crois qu'il savait que je comprenais les choses de l'amour, j'aurais aimé lui dire que moi aussi j'avais déjà embrassé quelqu'un sur la bouche, mais comme on ne se parlait pratiquement jamais et que, d'abord, c'était un secret, je n'ai rien dit.

Vingt-cinq novembre 1968. Cette nuit-là, dans ma chambre, l'obscurité faisait brouillard, il y avait des bouillons d'étincelles qui fonçaient sur moi. Dans les coins, des taches rouges surgissaient du noir, pareilles à des forêts incendiées. Sous le lit de mon camarade poignardé au cœur, des loups affamés complotaient la mort, se disputant la jugulaire. Ils parlaient de moi, de ma gorge, de mon sang.

Je me suis levé en prenant bien soin de mettre mes pantoufles, les loups ne s'attaquent pas aux pantoufles, il n'y a que les pieds nus qui les intéressent. C'était la bonne qui m'avait dit ça. Pour une fois qu'elle disait quelque chose d'intelligent, je n'allais pas discuter sa théorie. Dans le corridor de l'aile spéciale des cas lourds, il y avait, à un bout, une lumière rouge, un coucher de soleil immobile avec exit écrit dessus. Mais tout le monde savait que cet exit-là n'exitait nulle part, parce que la porte était verrouillée. De l'autre côté, la grande porte grillagée avec le garde, qui veillait la nuit, les yeux braqués en permanence sur sa petite télé. La lueur bleue du noir et blanc donnait à son visage rond une impression de pleine lune qui se lève à l'horizon du corridor. Le veilleur de nuit n'était pas dans la lune, c'était la lune qui était dans le veilleur. J'avais besoin de parler à quelqu'un, alors je me suis approché doucement, comme Josélito sur le désert des voies ferrées. De la télé venait la voix de John Wayne qui disait « *You're dead where you stand, pilgrim* ». Je ne voulais pas déranger le garde pendant son western, il y a des gens pour qui les westerns, c'est sacré, alors je me suis immobilisé sur place en me transformant en cratère lunaire jusqu'à la pause publicitaire.

Quand M. Net est arrivé avec sa tornade blanche pour faire briller la cuisine, j'ai atchoumé pour signaler ma présence. La pleine lune s'est retournée lentement comme une éclipse et m'a regardé dans le blanc des yeux :

— Qu'est-ce que tu fais là, toi ?

— J'ai fait un cauchemar, monsieur, alors je suis venu pour savoir si c'est vrai que les loups n'attaquent jamais les pantoufles.

Au plus profond du cœur labouré d'un veilleur de nuit, il reste parfois un brin d'herbe minuscule qui a survécu à la grande moissonneuse de la vie. Ce n'est pas grand-chose à côté des vertes prairies de l'enfance, mais c'est suffisant pour ne pas renvoyer un petit garçon à ses cauchemars.

— Les loups ne s'attaquent jamais aux pantoufles : ça leur donne des ulcères. Maintenant, retourne te coucher.

— Je sais que c'est interdit de déranger les veilleurs de

nuit, mais j'aimerais rester avec vous un petit moment, après ça ira mieux.

Il y eut un long silence, sans atmosphère, sans bruit ni pesanteur, un silence lunaire. Savait-il que les Américains s'apprêtaient à lui planter un drapeau dans le front ? Il me tendit la main.

— Je m'appelle monsieur Clément. Tu peux rester mais, quand je le dirai, il faudra aller te coucher sans faire d'histoire ?

Je lui serrai la main pour conclure l'entente.

— Vous pouvez compter sur moi.

On a regardé la fin du film, je trouvais que John Wayne se débrouillait très bien avec une Winchester, M. Clément était d'accord avec moi. Puis il y eut le coucher de soleil sur le Grand Canyon : le cow-boy et son cheval ont disparu derrière une montagne.

— C'est immense, la solitude, monsieur Clément.

— C'est encore bien plus grand à deux, dit-il en soupirant.

Comme je reprenais mon air de Josélito, il ajouta :

— Je pense à ma femme quand je dis ça.

— Mais quand on est deux, monsieur Clément, tout de suite ça veut dire qu'on est pas tout seul, sinon, on serait seulement un.

— Ne crois pas ça, mon gars, je suis seulement un veilleur de nuit sans éducation, mais je sais une chose : quand on vient au monde on est tout seul, et quand le jour arrive où il faut mourir, on est tout seul aussi. Il faut que tu comprennes bien ça, et alors, peut-être, tu pourras t'arranger avec les autres.

Il soupira encore, c'était le plus profond soupir que j'avais jamais entendu.

— Quel que soit ton destin, mon gars, ne perds pas courage et surtout ne va pas croire que n'ayant pas connu les bonheurs de l'amour, tu ignoreras jusqu'au bout les grandes joies de la vie. Le plus malheureux des hommes peut se faire une idée des plus grands bonheurs.

— Pourquoi vous me dites ça, monsieur Clément?

— J'en sais rien, ça me vient tout seul. Ma grand-mère disait que j'étais médium. Toute ma vie, je me suis concentré pour découvrir les numéros de la loto : en quarante-deux ans, j'ai gagné soixante-quatre dollars, assez moyen pour un médium.

— Pourquoi vous me dites tout ça, monsieur Clément?

— Je viens de te dire que je n'en savais rien.

— Moi, je crois que vous savez beaucoup de choses. Vous étiez au courant pour les loups qui font des ulcères avec les pantoufles. Même si je ne comprends pas tout, monsieur Clément, faut me les dire quand même, ces choses-là. Dans cet hôpital, ils ne peuvent rien pour moi. Le docteur Jean, il veut savoir la vérité, il veut me faire du mal pour que je sois obligé de me tuer sur-le-champ.

— La vérité n'a jamais tué personne, mon garçon. Elle n'est pas toujours agréable à regarder, mais elle ne tue pas.

— Je pense, monsieur Clément, que la vérité, c'est pour les très grandes personnes, comme vous, qui n'ont pas peur de veiller la nuit dans les corridors et qui sont nées toutes seules. Moi, je suis deux, il y a moi et il y a l'autre, c'est beaucoup plus sûr.

— Qui ça, l'autre?

— Pourquoi ils ne veulent pas qu'on reçoive la visite de nos mamans?

— C'est la consigne.

— Moi, je n'ai signé nulle part.

— Ils pensent que pendant que tu es ici, il vaut mieux couper les contacts avec la famille, c'est leur point de vue. C'est qui l'autre?

— Quel autre, monsieur Clément ?

— Tu m'as dit que toi, tu étais deux, alors je te demande : qui est l'autre ?

— Et les étoiles, ça vous dérange pas de ne jamais les voir quand vous surveillez, la nuit ?

— Les étoiles, on a surtout besoin de savoir qu'elles sont là, ce n'est pas nécessaire de toujours les regarder. Tu allais me dire qui était l'autre.

— Je suis fatigué, monsieur Clément, je crois que je vais retourner me coucher, demain j'ai une grosse journée. À vous, je peux bien le dire, je vais m'évader, alors c'est un peu un adieu, monsieur Clément.

— Et où tu iras ?

— Ne vous en faites pas pour moi, tout est organisé, je m'engage dans le grand cirque Livanov, comme faiseur de balounes avec de la gomme Bazooka, je suis un expert des balounes.

— Qui est l'autre ? Je crois que c'est mieux que tu me le dises avant de t'engager dans ton cirque.

— Elle s'appelle Clarence…

Le veilleur de nuit m'a longtemps regardé. Moi, j'examinais le plancher pour savoir si c'était possible de rentrer à l'intérieur.

Le petit Lucien, qui avait lancé sa mère du balcon, après quoi elle était devenue légume, poussa un hurlement qui déchira la nuit. C'était l'heure des cauchemars. On l'entendit pleurnicher un peu, puis il se rendormit. M. Clément alluma une cigarette et ce fut de nouveau le silence. Comme il m'avait écouté, M. Clément, mon récit flottait encore dans l'espace.

— C'est une vache qui a glissé. Le sac de gommes balounes est tombé dans la rivière, Clarence a voulu se jeter à l'eau, Damien l'a retenue.

Monsieur Clément écrasa sa cigarette et fit disparaître le mégot dans un sac de plastique qu'il fourra dans sa poche.

— On a tous quelque chose à cacher, mon garçon.

Il me regardait avec des yeux qui ont vu mille fois passer l'heure du crime sans que jamais rien arrive.

— Finis ton histoire avant que le jour se lève.

— Quand nous sommes arrivés, la police nous attendait, mon père aussi m'attendait avec son pied ferme qui tapait d'impatience sur le quai. Dans la voiture, il m'a dit seulement : ça ne sert à rien de t'abîmer à chercher des mensonges, je sais tout, les maisons saccagées, le vol de l'argent, tout.

Le hurlement venait de la chambre juste à côté de la mienne. Cécile Coulombe était arrivée dans l'aile spéciale seulement deux jours avant moi, on racontait qu'elle s'était elle-même opérée de l'appendicite avec une paire de pinces et un couteau de cuisine.

— Dites-moi, monsieur Clément, ça vous dérangerait beaucoup de me donner mon talkie-walkie ? Il est dans l'armoire. L'autre gardien me l'a confisqué la nuit dernière.

— Il est temps d'aller dormir, je te le donnerai demain matin.

— Je vous en prie, monsieur Clément, je dormirais tellement mieux si je l'avais à côté de moi.

Il ouvrit l'armoire et me donna mon précieux instrument.

— Bonne nuit, monsieur Clément.

Et je suis retourné dans ma chambre.

Épilogue

Je me glissai sous les couvertures comme une lettre dans une enveloppe dûment affranchie, prêt pour le voyage. Rabattant l'édredon, je fermai le monde : les villes qui s'agitent, les rivières, les fleuves et les océans, les champs de blé d'Inde, le ciel de l'automne, mes amis, ma famille, le docteur, la médecine, les sections spéciales, les hommes et les bêtes, l'aube, le crépuscule, le plein midi, les cloches de l'église, Dieu et l'humanité. Tout cela disparut très loin, à des milliards de kilomètres, de l'autre côté de la couverture. Les piles de mon talkie-walkie étaient pratiquement épuisées, mais ça n'avait aucune importance. En collant mon oreille, je pouvais entendre le grichement de l'infini, la voix secrète des étoiles, des galaxies et des univers, le bourdonnement de la rumeur.

Il me suffisait d'appuyer sur le petit bouton rouge :

— Allô ! Clarence, tu m'entends ? Tu es là, au moins ?

— Ben oui, je suis là, imbécile. T'en as mis du temps !

— C'est à cause du docteur Jean, il a planté des aiguilles dans ma tête, ça m'a retardé. Il dit que tu n'existes pas, il dit que je t'ai inventée.

— Que je te voies jamais essayer de m'inventer, Léon Doré, ce serait trop facile, pour qu'ensuite tu me fasses toutes les cochonneries que tu as dans ta tête de vieux saligaud, je te défends de m'inventer, même une minute, même une seconde, même pour rire.

— C'est promis, Clarence.

— Alors jure sur la tête de Dieu, si je mens, je vais en enfer.

— C'est juré, Clarence, même je crache par terre!

Clarence me prit par la main et la serra très fort.

— Tu n'as jamais su cracher comme il faut, ça part dans tous les sens. Si on allait à l'étang aux grenouilles pour attraper des têtards?

— D'accord, si tu veux…

Le soleil était au zénith, la prairie sentait bon les fleurs sauvages, dans le ciel très haut une mésange planait sur le monde.

Table des matières

Prologue	9
Chapitre 1	11
Chapitre 2	21
Chapitre 3	35
Chapitre 4	43
Chapitre 5	49
Chapitre 6	55
Chapitre 7	67
Chapitre 8	79
Chapitre 9	93
Chapitre 10	103
Chapitre 11	113
Chapitre 12	119
Chapitre 13	129
Chapitre 14	135
Chapitre 15	143
Chapitre 16	151
Chapitre 17	165
Chapitre 18	183
Épilogue	195

MISE EN PAGES ET TYPOGRAPHIE :
LES ÉDITIONS DU BORÉAL

CE DEUXIÈME TIRAGE A ÉTÉ ACHEVÉ D'IMPRIMER
EN JUIN 1997 SUR LES PRESSES DE L'IMPRIMERIE AGMV MARQUIS,
À CAP-SAINT-IGNACE (QUÉBEC).